Español lengua viva

Cuaderno de actividades

1

Nov-2012 Ejemplar para revisar

español
Santillana
Universidad de Salamanca

★A1-A2★
MARCO DE
REFERENCIA
EUROPEO

Autores de la programación: **M.ª Teresa Martín, Loreto Pérez** y **Javier Ramos**
Relación de autoras: **Ana Gainza, M.ª Dolores Martínez** e **Isabel Ordeig**
Dirección editorial: **Aurora Martín de Santa Olalla**
Edición: **Susana Gómez** y **M.ª Antonia Oliva**

Dirección de arte: **José Crespo**

Proyecto gráfico:
        Portada: **Celda y asociados**
        Interiores: **Isabel Beruti**
Ilustraciones de interiores: **Miguel Porto**

Jefa de proyecto: **Rosa Marín**
Coordinación de ilustración: **Carlos Aguilera**
Jefe de desarrollo de proyectos: **Javier Tejeda**
Desarrollo gráfico: **Raúl de Andrés** y **José Luis García**

Dirección técnica: **Ángel García Encinar**

Coordinación técnica: **Fernando Carmona**
Confección y montaje: **Marisa Valbuena, Fernando Calonge** y **Luis González**
Cartografía: **José Luis Gil**
Corrección: **Zoilo G. García** y **Pilar Pérez**
Documentación y selección de fotografías: **Mercedes Barcenilla**

Fotografías: A. Toril; A. Viñas; Algar; Arved Von Der Ropp; C. Díez; C. Rubio; D. Lezama; E. Marín; F. Ontañón; G. Aldana;
GARCÍA-PELAYO/Juancho; I. Codina; I. Rovira; J. Jaime; J. Lucas; J. M. Gil-Carles; J. M.ª Escudero/Instituto Municipal de Deportes
de Madrid; Krauel; L. Agromayor; M. Moreno; ORONOZ; P. López; Prats i Camps; R. Manent; R. Quintero; S. Enríquez/INS Pradolongo,
Madrid; S. Padura; S. Yaniz; A. G. E. FOTOSTOCK/Rick Gómez, John Valls, IFPA, James McLoughlin, Atlantide S.N.C., Bill Bachmann;
ADOLFO DOMÍNGUEZ, S.A.; COMSTOCK; CONTIFOTO/C. Rubio; COVER/SYGMA/S. Dorantes, KEYSTONE; COVER/CORBIS/
Zefa/Sandra Seckinger, Sygma/Europress, Rufus F. Folkks, Zefa/A. Green, Ariel Skelley, Yang Liu, People Avenue/Stephane Cardinale,
Ed Bock; COVER/Quim Llenas; EFE/EPA PHOTO AP POOL/Ronald Zak; EFE/G. Cuevas, J. Huesca, J. L. Pino, P. Campos; EFE/SIPA-
PRESS; EFE/SIPA-PRESS/David Niviere, Frederico Mendes, Laski, PRESSENS BILD/SIPA/Kary H. Lash, IMAGE/SINTESI/SIPA;
FACTEUR D'IMAGES/Fabien Malot; FLASH PRESS/GAMMA/Michel Artault; GETTY IMAGES/Lonely Planet Images/Greg Elms;
HIGHRES PRESS STOCK/AbleStock.com; I. Preysler; JOHN FOXX IMAGES; MUSEUM ICONOGRAFÍA/Teatro Real/Javier del Real;
PHOTOALTO; PHOTODISC; STOCKBYTE; Cafetería Alverán, Boadilla del Monte; CENTRO COMERCIAL EROSKI; Desnivel Banco
de Imágenes; EL CORTE INGLÉS; MATTON-BILD; Samsung; SERIDEC PHOTOIMAGENES CD/DigitalVision; ARCHIVO SANTILLANA

Grabaciones: **Textodirecto**
Música: **Paco Arribas Producciones Musicales**

Agradecimientos: A los profesores, alumnos y personal de administración y servicios de los Cursos
Internacionales de la Universidad de Salamanca y a la cafetería Alverán (Boadilla del Monte, Madrid).

Santillana agradece a los autores citados en este libro la oportunidad que sus textos nos han brindado
para ejemplificar el uso de nuestra lengua. Los materiales de terceras personas han sido siempre
utilizados por Santillana con una intención educativa y en la medida estrictamente indispensable para
cumplir con esa finalidad, de manera que no se perjudique la explotación normal de las obras.

© 2007 by Santillana Educación, S. L.
Torrelaguna, 60. 28043 Madrid
En coedición con Ediciones de la Universidad de Salamanca
PRINTED IN SPAIN
Impreso en España por
Gráfica Internacional Madrid, S.L.
Sierra de Albarracín, 2 - 28946 Fuenlabrada - Madrid

ISBN: 978-84-9345-371-8
CP: 861044
Depósito legal: M-31574-2011

Introducción

El *Cuaderno de actividades* de *Español lengua viva 1* está destinado a **estudiantes jóvenes y adultos** de español y recoge contenidos del nivel de usuario básico del *Plan curricular del Instituto Cervantes: niveles de referencia para el español*.

El *Cuaderno de actividades* consta de **trece unidades**. La mayor parte de las **actividades** son para repasar y consolidar de forma individual los principales contenidos presentados en las unidades del *Libro del alumno* (gramática, vocabulario, etc.), pero también hay actividades para realizar en clase. Con el **CD audio** se trabaja de forma específica la comprensión auditiva y la pronunciación. Al final de cada unidad hay una **autoevaluación** de los objetivos alcanzados y una serie de actividades de respuesta cerrada para comprobar los conocimientos adquiridos.

Al igual que en el *Libro del alumno*, los **iconos** que preceden a los enunciados de las actividades indican el tipo de actividad de lengua que se va a realizar y/o las competencias generales y comunicativas que se van a desarrollar:

- la expresión oral BLA,
- la expresión escrita,
- la comprensión auditiva 14,
- la comprensión de lectura,
- y la interacción oral BLA BLA BLA.

- el conocimiento cultural y sociocultural y la consciencia intercultural Cs,
- la capacidad de aprender E,
- la competencia gramatical G,
- la competencia léxica y semántica V,
- la competencia fonológica P,
- y la competencia ortográfica O.

Al final de este cuaderno se incluyen las **transcripciones** de las grabaciones del CD audio y las **soluciones** de las actividades de respuesta cerrada.

Con el **CD Rom** se podrán reforzar los principales contenidos gramaticales, léxicos, de comunicación, culturales y socioculturales y comprobar los resultados de las actividades propuestas para evaluar el aprendizaje.

Índice

Unidad 0 Kilómetro 0 .... pág. 5

Unidad 1 Encantado de conocerte .... pág. 13

Unidad 2 Aprender español .... pág. 21

Unidad 3 En familia .... pág. 29

Unidad 4 De compras .... pág. 37

Unidad 5 Nutrición y salud .... pág. 45

Unidad 6 Objetos de casa .... pág. 53

Unidad 7 Ciudades y barrios .... pág. 61

Unidad 8 El tiempo libre .... pág. 69

Unidad 9 ¡Vamos a conocernos mejor! .... pág. 77

Unidad 10 Los mejores años de nuestra vida........................ pág. 85

Unidad 11 ¿Hoy como ayer? .... pág. 93

Unidad 12 El mundo del trabajo .... pág. 101

Transcripciones .... pág. 109

Soluciones .... pág. 119

En esta unidad vas a practicar:

■ Dar y pedir información personal:	1, 2, 3, 4, 8
■ Expresar la nacionalidad:	1, 5, 8
■ Decir para qué estudias español:	2, 8
■ El presente de indicativo de los verbos regulares (*-ar*, *-er*, *-ir*):	3, 4
■ Vocabulario relacionado con objetos que suele haber en clase:	6, 7
■ El artículo definido (*el*, *la*, *los*, *las*):	7
■ Saludar y despedirte:	9, 10
■ La pronunciación de palabras de distinto origen:	11
■ El nombre de varias ciudades y países en español:	12, 13
■ Deletrear palabras:	13
■ La entonación de oraciones enunciativas e interrogativas. Los signos de interrogación y el punto final:	14

1.a. ① Enrique, un profesor de español, pasa lista el primer día de clase. Escucha y marca en la lista los nombres de los estudiantes que están en clase.

□ Dubois, Caroline
□ Darab, Sarah
□ Della Casa, Gabriella
□ Doherty, Robert
□ Durão, Hugo
□ Fröst, Leopold
□ Güden, Alfred
□ Hervé, Richard
□ Siepi, Luigi
□ Harada, Naoko
□ Vlack, Josef

b. ② Escucha a Enrique y a sus estudiantes y relaciona un elemento de cada columna.

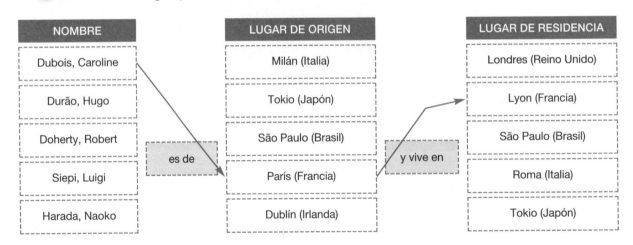

NOMBRE		LUGAR DE ORIGEN		LUGAR DE RESIDENCIA
Dubois, Caroline		Milán (Italia)		Londres (Reino Unido)
Durão, Hugo		Tokio (Japón)		Lyon (Francia)
Doherty, Robert		São Paulo (Brasil)		São Paulo (Brasil)
Siepi, Luigi	es de	París (Francia)	y vive en	Roma (Italia)
Harada, Naoko		Dublín (Irlanda)		Tokio (Japón)

c. G ¿Recuerdas la nacionalidad que corresponde a cada país? Escríbela.

Italia: _italiano, italiana_____   Irlanda: _____

República Checa: _____   Austria: _____

Brasil: _____   Estados Unidos: _____

Canadá: _____   Alemania: _____

2. C Relaciona un elemento de cada columna.

1. ¿Cómo te llamas?   a. En Barcelona.

2. ¿Dónde vives?   b. Michel.

3. ¿De dónde eres?   c. Para viajar.

4. ¿Para qué aprendes español?   d. Francés, español y alemán.

5. ¿Qué lenguas hablas?   e. Soy francés, de París.

3. a. [G] Completa estas formas verbales con las vocales que faltan (*a, e, i, o, u*).

1. (tú) te llam__s
2. (yo) me llam__
3. (tú) er__s
4. (yo) v__y

5. (ella) viv__
6. (tú) estudi__s
7. (él) __s
8. (ella) se llam__

9. (yo) viv__
10. (él) escrib__
11. (tú) habl__s
12. (yo) estudi__

b. [G] Escribe oraciones sobre ti con la primera persona del singular (*yo*) de estos verbos.

| llamarse | ser | estudiar | hablar | vivir |

----

4. a. [G] Completa estas preguntas.

1. ◆ ¿_____ _____ Juan?
   ◆ Sí.
2. ◆ ¿_____ _____ llama tu profesora?
   ◆ María.
3. ◆ ¿_____ lenguas hablas?
   ◆ Árabe y español.
4. ◆ ¿_____ _____ _____ esto en español?
   ◆ Goma.
5. ◆ ¿_____ qué estudias español?
   ◆ Para trabajar en Argentina.

6. ◆ ¿_____ Isabel?
   ◆ No, yo soy Lola.
7. ◆ ¿_____ vives?
   ◆ En Sevilla.
8. ◆ ¿_____ _____ _____ tu nombre?
   ◆ De, u, ene, i, a. Dunia.
9. ◆ ¿_____ significa *aula*?
   ◆ Es lo mismo que *clase*.
10. ◆ ¿_____ _____ eres?
    ◆ De Italia. ¿Y tú?

b. (3) Escucha y comprueba.

5. [G] ¿De dónde son originarias estas cosas? Escribe la nacionalidad que crees que les corresponde. Utiliza el diccionario si no conoces el significado de alguna palabra.

| español/+ a | marroquí | argentino/a | ruso/a | portugués/+ a |
| brasileño/a | francés/+ a | italiano/a | irlandés/+ a | japonés/+ a |

la paella: *española*

la *pizza*:

el *sushi*:

el cuscús:

el vodka:

la samba:

el fado:

el tango:

la cerveza Guinness:

el queso Roquefort:

6. a. $\boxed{V}$ Busca en la sopa de letras los nombres de estos diez objetos.

O	P	I	Z	A	R	R	A	F	E	O
W	S	I	L	L	A	M	L	M	F	P
R	S	R	G	T	X	O	O	C	C	A
V	L	Á	P	I	Z	C	N	E	U	P
R	Z	N	R	A	M	H	U	G	I	E
B	O	L	Í	G	R	A	F	O	E	L
A	S	D	E	T	L	L	I	M	D	E
O	N	R	E	D	A	U	C	A	S	R
R	U	I	S	E	G	T	J	A	T	A
C	B	O	R	R	A	D	O	R	U	A
L	O	S	U	E	R	V	U	I	I	L
R	O	T	U	L	A	D	O	R	W	R
E	R	O	R	D	E	N	A	D	O	R

b. $\boxed{V}$ ¿Qué objetos hay en tu clase? Escríbelo. Puedes consultar el diccionario.

En mi clase hay _____

_____

_____

7. $\boxed{V}$ Escribe la forma correspondiente del artículo definido (*el, la, los, las*) delante de estas palabras.

1. _____ mochilas

2. _____ mesa

3. _____ póster

4. _____ libros

5. _____ cuaderno

6. _____ goma

7. _____ diccionario

8. _____ papel

9. _____ rotulador

10. _____ sillas

11. _____ profesora

12. _____ pizarra

13. _____ ordenador

14. _____ móvil

15. _____ bolígrafos

16. _____ compañeros

17. _____ estuche

18. _____ papelera

8. a. ⬚ **En la recepción de una escuela de español tres estudiantes han completado un formulario con sus datos personales. Léelos y responde a estas preguntas.**

1. ¿Cómo se llaman los estudiantes que han completado el cuestionario?

----

2. ¿Vince, Vigiano y Afalah son sus nombres o sus apellidos?

----

3. ¿De qué países son?

----

4. ¿Dónde viven?

----

5. ¿Quién tiene un nivel más alto de español?

----

6. ¿Para qué estudia español Karen?

Nombre: Vince, Karen

Nacionalidad: Inglesa

Lugar de residencia: Hasting (Reino Unido)

Lenguas que habla: Inglés (lengua materna), francés (bilingüe), español (nivel inicial).

Motivación para estudiar español: Estudio español para hacer un máster en España.

Nombre: Afalah, Said

Nacionalidad: Marroquí

Lugar de residencia: Barcelona

Lenguas que habla: Árabe (lengua materna), francés (nivel intermedio), inglés (nivel avanzado), español (nivel intermedio).

Motivación para estudiar español: Estudio español para trabajar en España.

Nombre: Vigiano, Damon

Nacionalidad: Estadounidense

Lugar de residencia: Nueva York (EEUU)

Lenguas que habla: Inglés (lengua materna), español (nivel inicial).

Motivación para estudiar español: Estudio español para hablar con la familia de mi mujer, que es española.

b. ◁ **Ahora completa el mismo formulario con tus datos.**

> Nombre: ---
>
> Nacionalidad: --
>
> Lugar de residencia: ---
>
> Lenguas que habla: ---
>
> Motivación para estudiar español: --
>
> --

9. C ¿Qué crees que están diciendo estas personas? Completa los bocadillos con las expresiones de los cuadros.

┌─────────────────────┐   ┌─────────────────────┐
│   ¡Hasta mañana!   │   │ ¡Hola! Buenos días.│
└─────────────────────┘   └─────────────────────┘

┌─────────────────────┐   ┌─────────────────────┐
│   ¡Buenas noches!   │   │   ¡Hola! ¿Qué tal? │
└─────────────────────┘   └─────────────────────┘

10. 4 C Escucha varios saludos y despedidas y marca la respuesta más adecuada.

1. ☐ Hasta mañana.
   ☐ ¿Qué tal?

2. ☐ Hasta luego.
   ☐ Buenos días.

3. ☐ ¿Cómo estás?
   ☐ Adiós.

4. ☐ Buenos días.
   ☐ Hasta luego.

5. ☐ Buenas tardes.
   ☐ Hasta mañana.

6. ☐ ¡Muy bien! ¿Y tú?
   ☐ Adiós.

11. a. [BLA BLA BLA] [P] Estas palabras españolas son muy similares en otras lenguas. ¿Sabes cómo se pronuncian en español? Coméntalo con tu compañero.

1. chocolate	4. menú	7. aeropuerto	10. café
2. universidad	5. jersey	8. hospital	11. hotel
3. teléfono	6. kilo	9. pasaporte	12. sofá

b. ⑤ [P] Escucha y comprueba.

12. [BLA BLA BLA] [P] ¿Sabes cómo se dice en español el nombre de estas ciudades? Anótalo y compruébalo después con tus compañeros o con el profesor.

1. London: _____
2. New York: _____
3. Paris: _____
4. Dublin: _____
5. Beijing: _____

6. Genève: _____
7. Milano: _____
8. New Delhi: _____
9. Firenze: _____
10. München: _____

◆ London se dice Londres, ¿no?

◆ Sí, y New York se dice ...

13. ⑥ Vas a escuchar el nombre de varios países deletreados. Escríbelos.

1. _____	3. _____	5. _____	7. _____
2. _____	4. _____	6. _____	8. _____

14. ⑦ [P] Escucha estas oraciones y fíjate en la entonación. Si son interrogativas, escribe los dos signos de interrogación (¿?), y si son afirmativas, escribe un punto al final (.).

1. Cómo se llama esto en español
2. Eres portugués
3. *Thank you* se dice *gracias* en español
4. Marysse se escribe con dos eses
5. Vives en Nueva York

6. Qué significa *despedirte*
7. El español se habla en muchos países
8. De dónde eres
9. Vivianne se escribe con uve y dos enes
10. Dónde vive Ludovic

Ahora ya puedo...

	☺	😐	☹
■ presentarme: decir cómo me llamo, de dónde soy y dónde vivo			
■ preguntar a mis compañeros por su nombre, su nacionalidad y el lugar donde viven			
■ decir qué lenguas hablo y para qué aprendo español			
■ saludar y despedirme			
■ deletrear y pedir que me deletreen palabras			
■ pedir ayuda o una aclaración cuando no conozco el significado o la forma de una palabra			

Autoevaluación

1.

⑧ Escucha a Hugo y a Luigi y completa las fichas con sus datos personales.

HUGO DURÃO

Nacionalidad:

Lugar de residencia:

Lenguas que habla: -----------------------------

¿Para qué aprende español?

LUIGI SIEPI

Nacionalidad:

Lugar de residencia:

Lenguas que habla: -----------------------------

¿Para qué aprende español?

2.

Tacha la palabra que no corresponde a la serie.

1. italiano – belga – pizarra – portugués
2. libro – papel – cuaderno – casa
3. lápiz – escuela – rotulador – bolígrafo
4. ordenador – reproductor de DVD – mochila – televisión
5. buenos días – buenas noches – hasta mañana – cuaderno
6. japonés – Alemania – España – Canadá

3.

Marca la opción correcta.

1. Y tú, Christine, ¿de dónde eres?
   a. Es francesa.
   b. Soy francesa.
   c. Francia.

2. ¿Para qué estudias español?
   a. Escribir mensajes de correo electrónico.
   b. Viajar por España e Hispanoamérica.
   c. Para utilizarlo en mi trabajo.

3. ¡Hola! ¿Qué tal?
   a. Muy bien. ¿Y tú?
   b. Adiós.
   c. Hasta mañana.

4. Perdona, ¿te llamas Paul?
   a. Sí, Paul Conrad.
   b. No me llamo.
   c. No, se llama Karim.

5. ¿Cómo se dice *book* en español?
   a. Es libro.
   b. Libro.
   c. Dice libro.

6. ¿Dónde vives?
   a. A Lyon.
   b. Lyon.
   c. En Lyon.

Encantado de conocerte

En esta unidad vas a practicar:

- Vocabulario relacionado con las profesiones: **1, 2, 3**
- Dar y pedir información personal: **4, 9**
- El presente de indicativo de los verbos regulares: **5**
- Presentar a otra persona: **2, 6, 8**
- El uso de *tú* y *usted*: **7, 10**
- Los números del 0 al 100: **11, 12, 14**
- Los interrogativos *qué, cuál, cuántos/as* y *cuándo*: **13**
- Los numerales ordinales: **15**
- La pronunciación de los números: la sinalefa: **16**
- La pronunciación y ortografía de las letras *c, q* y *k*: **17**

1. [V] Ordena estas letras para formar el nombre de ocho profesiones.

- TORATECQUI: _Arquitecto_
- SEROFROP: ---------------------------------
- DENDROVE: ---------------------------------
- DOGAOBA: ---------------------------------
- NOIRENIGE: ---------------------------------
- ICODÉM: ---------------------------------
- TADISTEN: ---------------------------------
- TADISTENUE: ---------------------------------

2. a. [Cs] Aquí tienes ocho personajes famosos y sus datos desordenados. Escribe oraciones sobre ellos siguiendo el modelo.

Mario   pintor y escultor   Bardem

escritor   Salma   Javier   Juan Carlos

actriz   Fernando   Amenábar

cantante de ópera   Montserrat   actor

deportista   Alejandro   Caballé

director de cine   Shakira Isabel

Ferrero   Vargas Llosa   cantante

Hayek   Mebarak   Botero

1. _Se llama Mario, se apellida Vargas Llosa y es escritor._
2. ---------------------------------
3. ---------------------------------
4. ---------------------------------
5. ---------------------------------
6. ---------------------------------
7. ---------------------------------
8. ---------------------------------

b. [BLA] [Cs] ¿Conoces otros personajes famosos españoles o hispanoamericanos? Escribe sus nombres y sus profesiones. Después preséntaselos a la clase.

----

3. (9) [V] Escucha a unos estudiantes de español en su primer día de clase y escribe a qué se dedica cada uno.

- Misako: _Es_ ----------------
- Flavio: ----------------
- Alan: ----------------

4. C Uno de los estudiantes de la actividad anterior habla con la secretaria de la escuela donde estudia. Completa la conversación con los verbos de los cuadros.

| te dedicas | me apellido | hablas | tienes | hablo | estudio | es |

- Perdona, ¿puedes repetir tu apellido?
- Sí, _____ Necchi. N-e-c-c-h-i.
- Gracias. ¿A qué _____?
- Soy estudiante, _____ Derecho.
- ¿Cuántos años _____?
- Veintiuno.

- ¿Cuántos idiomas _____?
- _____ italiano, alemán y un poquito de español.
- ¿Cuál _____ tu número de teléfono?
- El 91 334 52 24.
- ¿Y tu dirección de correo electrónico?
- flanec@milano.it

5. a. 📖 Lee el mensaje de correo electrónico que envía Christian a una escuela de idiomas. ¿Para qué escribe? Marca la opción correcta.

Christian escribe:

☐ Para matricularse en un curso de español.
☐ Para saber qué actividades ofrece la escuela.
☐ Para pedir la dirección de la página web de la escuela.

De	Christian Lange
Para	
Asunto	

Estimado Sr. López:

Me llamo Christian Lange, vivo en Lubeck, en Alemania.

Hablo inglés y alemán y ahora estudio italiano. También hablo un poco de español: escribo y leo bastante bien, pero no hablo mucho.

Le escribo para solicitar información sobre la escuela. ¿Qué actividades hace en el mes de agosto para los estudiantes?

Gracias y un saludo,

Christian Lange

b. G Lee otra vez el mensaje de Christian y subraya las formas del presente de indicativo que encuentres. Luego, escribe los infinitivos correspondientes en esta lista.

Verbos que terminan en -AR: _Llamarse._ _____

Verbos que terminan en -ER: _____

Verbos que terminan en -IR: _____

c. G Ahora completa esta tabla con las formas correspondientes al presente de indicativo singular de estos verbos.

	ESTUDIAR	LEER	ESCRIBIR
(yo)	estudio	leo	escribo
(tú)	estudias	lees	escrib___
(él, ella, usted)	estudi___	le___	escrib___

6. a. |C| **Marca la opción correcta.**

1. Mira, Ana, esta es mi amiga Blanca. Blanca, esta es Ana, una compañera de trabajo.

   a. ¡Hola! ¿Qué tal?

   b. ¡Adiós!

   c. Usted.

2. Señora Martín, le presento a Carmen Solano, la directora de la escuela.

   a. ¿A qué te dedicas?

   b. Soy de Alemania.

   c. Encantada de conocerla.

3. Encantada de conocerte.

   a. Sí.

   b. Igualmente.

   c. Me apellido Charles.

4. Mira, Thomas, te presento a mi profesor.

   a. Encantado.

   b. Hasta mañana.

   c. De acuerdo.

b. ⑩ **Escucha y comprueba.**

7. |G| **Mira estas fotografías. ¿Qué forma crees que están utilizando estas personas: *tú* o *usted*? Marca la opción que te parece más adecuada.**

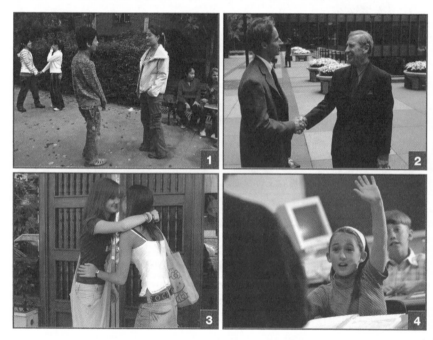

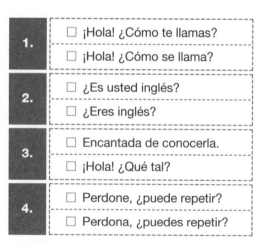

1.	☐ ¡Hola! ¿Cómo te llamas?
	☐ ¡Hola! ¿Cómo se llama?
2.	☐ ¿Es usted inglés?
	☐ ¿Eres inglés?
3.	☐ Encantada de conocerla.
	☐ ¡Hola! ¿Qué tal?
4.	☐ Perdone, ¿puede repetir?
	☐ Perdona, ¿puedes repetir?

8. |G| **Un estudiante de español, Michel, nos presenta a sus compañeros de clase. Completa lo que dice con los demostrativos *este* o *esta*.**

------------------ es mi profesor de español, se llama Carlos.

Y ---------------------- es mi amigo Robert, es americano.

----------------------- es Verónica, es italiana. Y --------------

es una chica suiza, pero no me acuerdo de su nombre.

9. a. En el registro de un hotel de Valencia tienen un problema con los datos de una clienta. Léelo y corrige lo que no es correcto.

b. Ahora, completa el formulario con tus datos.

HOTEL VALENCIA MEDITERRÁNEO

Nombre: ~~Bledsoe Catherine~~   Catherine
Apellidos: Catherine
Fecha de nacimiento: 28009
Dirección: c/ Aguirre, n.º 9
Ciudad: Madrid
Código postal: 6-7-1951
País: España
Teléfono: 91 581 46 46
Correo electrónico: cathy@madrid.es

HOTEL VALENCIA MEDITERRÁNEO

Nombre: _____
Apellidos: _____
Fecha de nacimiento: _____
Dirección: _____
Ciudad: _____
Código postal: _____
País: _____
Teléfono: _____
Correo electrónico: _____

10. G Lee estas oraciones y marca en la tabla si corresponden a la forma *tú* o *usted*. Después, transfórmalas.

	Tú	Usted
1. ¿Cómo te llamas?	✘	¿Cómo se llama?
2. ¿Se apellida Bledsoe?		
3. Por favor, ¿cuál es su número de teléfono?		
4. Encantado de conocerlo.		
5. ¿Cuál es tu fecha de nacimiento?		
6. Es de Michigan, ¿verdad?		
7. ¿Puede repetir?		
8. ¿A qué te dedicas?		

11. a. V Completa estas operaciones matemáticas.

1. Treinta por tres más dos = _____

2. Seis más ocho más _____ = veintiséis

3. Diez _____ siete más uno = setenta y uno

4. Sesenta más cinco _____ dos = sesenta y tres

5. Treinta entre dos = _____

+	más
–	menos
x	por
:	entre

b. V Prepara otras cinco operaciones similares para tu compañero en tu cuaderno y resuelve las que él te ha preparado.

12. ⑪ V Escucha y señala el número que mencionan en cada caso.

1.	7	17	77	37
2.	15	5	25	50
3.	87	79	97	7

4.	66	86	36	76
5.	35	65	75	15
6.	60	70	50	90

7.	18	28	38	58
8.	7	27	57	47
9.	16	56	46	66

13. G Completa estas preguntas con los interrogativos de los cuadros.

Qué	Cuál	Cuándo	Cuántos	Cuántas

1. ◆ ¿-------------- es tu cumpleaños?
   ◆ Mi cumpleaños es el once de enero.

2. ◆ ¿-------------- es tu número de teléfono móvil?
   ◆ Es el 630 019 274.

3. ◆ ¿-------------- es tu dirección de correo
   electrónico?
   ◆ Mi dirección es javiersr@madrid.com
   ◆ Perdona, ¿puedes repetir?
   ◆ Sí, javiersr@madrid.com
   ◆ Ahora, sí. ¡Gracias!

4. ◆ ¿-------------- día es el cumpleaños de Didier?
   ◆ No lo sé.

5. ◆ ¿-------------- es su fecha de nacimiento?
   ◆ El 24 de abril de 1936.

6. ◆ ¿-------------- páginas tiene el libro
   de español?
   ◆ Creo que ciento cincuenta.

7. ◆ ¿-------------- estudiantes hay en tu clase?
   ◆ Ocho.

14. ⑫ V Estos sobres son para
los estudiantes de una escuela de español.
Escucha y completa los datos que faltan.

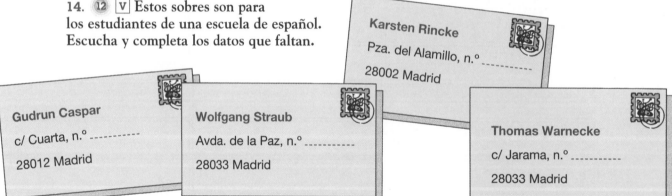

Karsten Rincke
Pza. del Alamillo, n.º ------------
28002 Madrid

Gudrun Caspar
c/ Cuarta, n.º ------------
28012 Madrid

Wolfgang Straub
Avda. de la Paz, n.º ------------
28033 Madrid

Thomas Warnecke
c/ Jarama, n.º ------------
28033 Madrid

15. a. G Fíjate en estos ejemplos. ¿Observas alguna diferencia entre ellos?

◆ ¿En qué piso vive?
◆ En el primero.

◆ ¿Dónde está tu clase de español?
◆ En el primer piso.

b. G Fíjate en la regla y completa estas oraciones con los ordinales correspondientes.

Los ordinales *primero, tercero*
Los ordinales *primero*, *tercero* se transforman en *primer*, *tercer* cuando van delante de un sustantivo masculino singular.
Hoy es mi primer día de trabajo.

1. Esta es la -------------- unidad del cuaderno de ejercicios.

2. Abril es el -------------- mes del año.

3. El español es la -------------- lengua más hablada en el mundo, después del inglés y del chino.

4. Mi escuela de español está en el -------------- piso.

5. Vivo en el -------------- piso.

6. Este es el -------------- curso de español que estudio.

16. a. ⑬ P Estos estudiantes de español practican la pronunciación de los números. Escucha atentamente y fíjate en cómo lo hacen.

1. SESENTA_Y SEIS
2. SETENTA_Y CUATRO

3. SETENTA_Y CINCO
4. SETENTA_Y_UNO

b. P Ahora, pronuncia tú estos números.

TREINTA Y DOS
SETENTA Y SEIS
OCHENTA Y TRES

CUARENTA Y CINCO
NOVENTA Y NUEVE
CINCUENTA Y OCHO

17. a. ⑭ P Escucha y repite estas palabras.

1. café
2. kilómetro

3. escuela
4. quinto

5. quién
6. cuál

7. cómo
8. cumpleaños

b. O Fíjate en la lista anterior y completa esta regla sobre la ortografía de las letras *c*, *q* y *k*.

Ortografía de la *c*, la *q* y la *k*
El sonido /k/ se representa:
■ con la letra _____ + *u*, seguida de las vocales *e*, *i*.
■ con la letra _____ seguida de las vocales *a*, *o*, *u*.
■ con la letra _____ en palabras que provienen de otras lenguas y en las que empiezan por *kilo-*.

c. ⑮ O Vas a escuchar catorce palabras. Escríbelas en la columna correspondiente.

CA	CO	CU	QUE	QUI
casa				

d. O ¿Conoces otras palabras que se escriban con el sonido /k/? Escríbelas.

Ahora ya puedo...

	☺	😐	☹
■ dar y pedir información personal básica			
■ completar formularios y registros con mis datos personales			
■ pedir que se repita lo dicho cuando no he entendido algo			
■ encontrar datos concretos en cartas, folletos y anuncios			
■ dirigirme a una persona de manera formal y menos formal			
■ presentar a una persona de una manera más y menos formal y responder cuando me presentan a alguien			

Autoevaluación

1.

Lee el folleto de esta escuela de español y responde a las siguientes preguntas.

1. ¿Qué actividades ofrece la escuela?

----

2. ¿Tiene sala de ordenadores?

----

3. ¿Cuántos alumnos hay en cada clase?

----

4. ¿Ofrecen clases particulares?

----

5. ¿Tiene página web? ¿Cuál es?

----

6. ¿Tiene biblioteca?

ESCUELA DE ESPAÑOL
"HABLAMOS"

CLASES DE ESPAÑOL PARA EXTRANJEROS

Clases individuales o en grupo.

Grupos reducidos, máximo 8 alumnos.

Cursos intensivos.

Preparación para el examen oficial DELE.

Biblioteca y sala de ordenadores con conexión a Internet.

Ambiente internacional.

Oferta de actividades extraacadémicas:
Cineclub: Todos los jueves a las 7 de la tarde,
ciclo de cine español.
Visitas guiadas a los museos más famosos de la ciudad.
Cursos de Literatura española e hispanoamericana.

Estamos en el centro histórico:
c/ Alcalá, n.º 65, 2.º drcha. 28014 Madrid

Llámanos o visita nuestra página web:
www.hablamos.es
Tfno. 91 435 64 98

¡Prueba de nivel y primera clase gratuita!

En esta unidad vas a practicar:

■ Vocabulario relacionado con las instrucciones de tu libro:	1
■ Expresar obligación y prohibición y decir si algo está permitido:	2, 3
■ Preguntar el significado y el nombre de una palabra, preguntar cómo se escribe y pedir que te repitan algo que no has entendido:	4
■ Hablar sobre las estrategias de aprendizaje que usas:	5
■ El presente de indicativo de los verbos regulares y de algunos irregulares:	6
■ Preguntar y decir la hora:	7, 8, 9
■ Hablar de la rutina diaria:	9
■ La pronunciación de las letras *b* y *v*:	10
■ El uso de la coma y del punto:	11

1. V Relaciona estas palabras con los verbos que hay debajo. Ten en cuenta que puede haber más de una posibilidad.

una palabra

una foto

el libro

un diálogo

una tabla

dos columnas

un texto

una oración

un dibujo

palabras y dibujos

1. Escuchar: _un diálogo, un texto, una palabra, una oración._

2. Mirar:

3. Relacionar:

4. Leer:

5. Abrir:

6. Escribir:

7. Completar:

8. Subrayar:

2. a. Lee las normas de la clase de Mark y marca si estas oraciones son verdaderas o falsas.

LAS NORMAS DE LA CLASE

1. Hay que hablar siempre en español, pero se puede traducir alguna palabra.
2. Se puede utilizar un diccionario.
3. Los alumnos de la misma nacionalidad tienen que sentarse separados.
4. Hay que estar en el aula cinco minutos antes de empezar la clase.
5. No se puede entrar en la clase si la puerta está cerrada.
6. Está prohibido comer chicle en clase.
7. No se puede comer en clase, pero se puede beber agua.
8. Hay que hacer los deberes todos los días.
9. Está prohibido quitarse los zapatos.
10. Hay que sentarse correctamente.

	V	F
1. Está prohibido usar el diccionario.	☐	☐
2. No se puede llegar tarde.	☐	☐
3. No se puede comer ni beber.	☐	☐
4. Hay que quitarse los zapatos.	☐	☐
5. Está prohibido hablar en otra lengua.	☐	☐
6. Se puede trabajar con alumnos de la misma nacionalidad.	☐	☐

b. ¿Hay alguna norma de la clase de Mark que te parece importante y que quieres proponer en tu clase? Coméntalo con tus compañeros.

3. a. [G] Fíjate en estos grupos de oraciones y completa la explicación que aparece después con *hay que* o *tener que*.

A

– En clase tengo que participar.

– Tenemos que ser puntuales.

– El profesor tiene que resolver las dudas.

B

– En clase hay que hablar español.

– Hay que hacer los deberes.

– Hay que escuchar a los compañeros.

> **Expresar obligación:**
> ***hay que/tener que***
>
> ■ Cuando presentamos la obligación como algo general, podemos utilizar ------------------ + infinitivo.
>
> ■ Cuando presentamos la obligación como algo personal y decimos a quién va dirigida, podemos utilizar ------------------ + infinitivo.

b. [G] Ahora, escribe tres cosas que tú crees que hay que hacer, en general, para aprender una lengua y tres cosas que tú tienes que hacer.

Para aprender una lengua hay que...

– ---
– ---
– ---

Para aprender español yo tengo que...

– ---
– ---
– ---

4. a. [C] Relaciona un elemento de cada columna.

1. Perdona, ¿puedes repetir, por favor?

2. ¿Cómo se escribe tu apellido?

3. ¿Cómo se dice *library* en español?

4. ¿Qué significa *buenos días*?

5. ¿Cómo se dice: *dictionario* o *diccionario*?

6. ¿*Bolígrafo* se escribe con be o con uve?

a. Biblioteca.

b. Con be.

c. Sí, claro. Abrid el libro por la página 20.

d. Diccionario.

e. Es algo que se dice para saludar por la mañana.

f. Con ka. Ka, ene, a, ese, te, e, erre.

b. (16) Escucha y comprueba.

5. a. 📖 E Lee las estrategias que usan algunos estudiantes de idiomas. ¿Utilizas tú alguna? Márcala.

Cuando aprendo una palabra nueva la anoto en un cuaderno y escribo un ejemplo para recordar su significado y saber cómo utilizarla. (Anna) ☐

Practico lo que aprendo en clase hablando con españoles o con otros estudiantes de español. (Kharuk) ☐

No me preocupo por entenderlo todo cuando hablo con alguien. Intento entender solo lo básico. (Jeanne) ☐

Para aprender vocabulario leo mucho, sobre todo, revistas de información general. Pero no intento comprender todas las palabras, solo el sentido general del texto. (Naoko) ☐

Escucho canciones y leo la letra para aprender vocabulario. (Carolina) ☐

Cuando hablo con españoles o hispanoamericanos, miro la cara y las manos de las personas para entender mejor lo que dicen. (Ken) ☐

Repito en voz alta las palabras nuevas y expresiones importantes (por ejemplo, *¿puede repetir, por favor?*) (Hans) ☐

b. 📖 E Lee de nuevo los textos del apartado anterior y marca si estas afirmaciones son verdaderas (V) o falsas (F).

	V	F
1. Anna traduce todas las palabras nuevas.	☐	☐
2. Cuando habla con alguien, Jeanne se preocupa por comprender todo.	☐	☐
3. Ken se fija en los gestos para comprender mejor.	☐	☐
4. Kharuk intenta practicar todo lo que aprende en clase.	☐	☐
5. Naoko lee para aprender palabras nuevas.	☐	☐

c. ◁ E Piensa en otras estrategias que utilizas tú para comunicarte o aprender mejor y escribe en qué consisten y cuándo las empleas.

6. a. ⬜ Lee este mensaje de correo electrónico que Lola envía a su amiga Claire y marca sobre cuál de estos temas escribe.

☐ su nueva casa ☐ el trabajo de Claire ☐ los fines de semana ☐ la rutina de Lola y su familia

De	lopr.com@net
Para	Claire
Asunto	hola

¡Hola, Claire! ¿Qué tal con tu nueva casa?

Yo estoy muy contenta con mi nueva vida, aquí en Barcelona. Pero con mi horario de trabajo no puedo llevar a los niños al colegio, van en autobús. Empiezo a trabajar a las ocho (me levanto a las siete menos cuarto ☹) y salgo a las tres. Es muy buen horario, porque tengo la tarde libre. Llego a casa, como rápidamente y después voy a buscar a los niños, que salen del colegio a las cinco. Y hay más… Los lunes y los viernes tienen clase de inglés de cinco y media a seis y media. Y los martes y jueves, Claudia tiene clase de ballet a las seis y media y Mateo va a jugar con Sergio, un amiguito que vive cerca de casa. Los miércoles no tienen clase por la tarde; es el día más tranquilo: no salimos, pasamos la tarde en casa. Los niños juegan, hacen los deberes, ven la tele…

Pepe está bien, pero trabaja mucho. Llega a casa a las nueve y media de la noche. Pero los fines de semana no trabaja. Lleva a los niños a la piscina y yo, si puedo, voy al cine, hago la compra o voy a dar una vuelta con mis amigas.

¡Ah! Me pides una foto de los niños: te mando una en el próximo correo. ¿Qué tal Mark y Mitchell? Escríbeme pronto.

Un beso muy fuerte,

Lola

b. 🄶 ¿Sabes cuál es el infinitivo que corresponde a estas formas verbales? Fíjate en el mensaje de Lola y escríbelo.

- puedo: __poder__
- empiezo: _____
- tienen: _____
- juegan: _____
- pides: _____

c. 🄶 Las formas verbales de 6. b. son irregulares: fíjate bien en su forma y completa esta tabla con el tipo de irregularidad que les corresponde.

┌─────────┐
│ e → i   │
└─────────┘
┌─────────┐
│ e → ie │
└─────────┘

	PRESENTE: VERBOS IRREGULARES		
	_____	o → ue	_____
	Empezar	Poder	Pedir
(yo)	empiezo	puedo	pido
(tú)	empiezas	puedes	pides
(él, ella, usted)	empieza	puede	pide
(nosotros/as)	empezamos	podemos	pedimos
(vosotros/as)	empezáis	podéis	pedís
(ellos/as, ustedes)	empiezan	pueden	piden

7. [C] Dibuja las horas correspondientes en estos relojes.

| Es la una en punto. | Son las dos menos cuarto. | Son las once y media. | Son las cuatro menos diez. |

8. a. [C] Escribe estas horas en letra.

1. 13.30: _Es la una y media._

2. 21.00: ----------------------------

3. 12.40: ----------------------------

4. 8.25: -----------------------------

5. 18.15: ----------------------------

6. 10.45: ----------------------------

7. 14.30: ----------------------------

8. 19.10: ----------------------------

b. (17) **Escucha y comprueba.**

c. (17) [C] Escucha de nuevo y escribe las tres preguntas que se hacen para preguntar la hora.

----

9. a. [G] ¿A qué hora realizas estas actividades durante la semana y los fines de semana? Escríbelo.

Durante la semana, me levanto a las siete y media y los fines de semana a las diez.

----

b. [G] **Busca a un compañero de clase que hace dos cosas a la misma hora que tú.**

◆ ¿A qué hora te levantas durante la semana?

◆ A las siete y media.

◆ Yo, a las ocho.

10. a. P Lee estas palabras. ¿Sabes cómo se pronuncian?

1. libro
2. actividad
3. levantarse
4. cambiar
5. viernes
6. dibujar
7. hablar
8. sábado
9. ver
10. escribir

b. 18 P Escucha y repite.

c. O Las letras *b* y *v* tienen el mismo sonido en español. ¿Conoces otras palabras que se escriben con *b* o con *v*? Escríbelas. Si tienes dudas, puedes consultar el diccionario.

Con *b*: _billete,_

Con *v*: _avión,_

11. O Lee las reglas de uso de la coma y del punto. Luego, lee los ejemplos que hay debajo y escribe el número de cada oración en el lugar correspondiente.

Los signos de puntuación

Se escribe **coma** (,):

■ Para separar los elementos de una enumeración. Por ejemplo: n.º 5.

■ Para separar el nombre de la persona a la que nos dirigimos. Por ejemplo: n.º ____ .

■ Para hacer una pausa explicativa dentro de una oración. Por ejemplo: n.^{os} ____ y ____ .

Se escribe **punto** (.):

■ Para marcar una pausa larga entre oraciones. Después del punto, siempre se escribe mayúscula. Se emplea el **punto y seguido** cuando seguimos hablando de un mismo tema, idea o asunto. Por ejemplo: n.º ____ .

■ Se utiliza el **punto y aparte** cuando se cambia de tema, idea o asunto.

■ Siempre se escribe **punto final** cuando se acaba un texto.

1. Por las mañanas voy a la universidad. Tengo clase todos los días.
2. La plaza, situada en el centro de la ciudad, está a 250 metros sobre el nivel del mar.
3. Estudio inglés por la tarde, dos días a la semana.
4. Luis, ¿dónde están las llaves?
5. En el dormitorio hay armarios empotrados, tenemos la cama, las mesillas de noche, un espejo y una butaca.

Ahora ya puedo...

	☺	☺	☹
■ preguntar y entender si algo es obligatorio y si está o no permitido			
■ indicar que no he entendido algo y pedir que me lo repitan			
■ pedir a alguien que hable más despacio o más alto			
■ intercambiar información básica sobre las estrategias que empleo para aprender una lengua			
■ preguntar y decir la hora			
■ dar y pedir información sencilla sobre las actividades y rutinas de la vida diaria			

Autoevaluación

1.

Lee este texto y marca si estas oraciones son verdaderas (V) o falsas (F).

POLIDEPORTIVO MASDEPORTE

CLASES DE NATACIÓN

ADULTOS	L, X, V	8.30-17.30 y 19.30-22.30
Clases de 60 min.	M, J	14.00-17.30 y 19.30-22.30
Grupos de doce alumnos.	S	10.00-11.00
NIÑOS	L, X, V	17.00-20.00
Clases de 60 min.	M, J	17.00-20.00
Grupos de doce alumnos.	S	11.00-14.00
BEBÉS: Aprendizaje	L, X, V	8.00-17.00
Clases de 30 min.	M	11.30-17.00
Grupos de cinco bebés.	J	12.30-13.00
Durante la clase, los bebés deben	S	12.30-13.30
estar acompañados de un adulto.	D	11.00-13.00
NATACIÓN LIBRE	M	10.00-17.00
Sesiones de 60 min. de natación.	J	9.00-13.00 y 14.00-17.00
Sin monitor.	S	12.30-14.00
	D	10.00-14.00

	V	F
1. El número máximo de alumnos por grupo es de 12.	☐	☐
2. Todas las clases duran una hora.	☐	☐
3. El polideportivo ofrece clases de natación los fines de semana.	☐	☐
4. Las clases de adultos se imparten por la mañana y por la tarde.	☐	☐
5. Las clases de niños se imparten solo por la tarde.	☐	☐

2.

Elige la opción correcta.

1. ¿Se puede hablar en inglés en clase?
   a. Puede.
   b. Sí, se puede.
   c. No, se puede.

2. ¿Me puedes decir cómo se escribe tu apellido?
   a. Puedo.
   b. Sí, claro. Ge, a, ele, i, a, ene, o. Galiano.
   c. No, lo siento, no se puede.

3. ¿Tiene hora, por favor?
   a. Sí. Tengo hora.
   b. Tengo reloj.
   c. Sí. Las cuatro.

4. ¿A qué hora te acuestas normalmente?
   a. Me acuesto doce de la noche.
   b. Las once y media.
   c. En general, tarde, sobre las once y media de la noche.

5. ¿Qué dices cuando alguien habla muy rápido y no lo entiendes?
   a. ¿Puedes hablar más despacio, por favor?
   b. Más alto, por favor.
   c. Silencio, por favor.

6. ¿A qué hora empieza tu clase de español?
   a. Son las nueve.
   b. Empieza ocho.
   c. A las nueve y media.

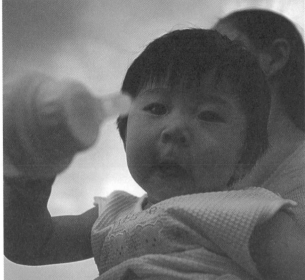

En esta unidad vas a practicar:

■ El presente de indicativo de algunos verbos irregulares:	1, 2, 3
■ Describir el aspecto físico y el carácter de una persona:	4, 5, 6
■ Hablar de la familia:	7
■ Los posesivos (*mi*, *tu*, *su*, etc.):	8
■ El interrogativo *quién/es*:	9
■ Hacer una propuesta de ocio y aceptarla o rechazarla:	10, 11
■ Hablar de fiestas y de algunas costumbres relacionadas con ellas:	12, 13
■ La pronunciación de las letras *c* y *z*:	14

1. G Lee estas formas verbales en presente de indicativo, primera persona singular (*yo*), y escribe a qué infinitivo corresponden.

soy → _ser_

doy → ....

estoy → ....

salgo → ....

vengo → ....

tengo → ....

digo → ....

hago → ....

2. G Completa la tabla con las formas correspondientes al presente de indicativo de estos verbos.

	SER	IR
(yo)		
(tú)	eres	vas
(él, ella, usted)		
(nosotros/as)		vamos
(vosotros/as)	sois	vais
(ellos/as, ustedes)	son	

3. G Completa este crucigrama: escribe la forma del presente de indicativo de estos verbos en la persona señalada.

HORIZONTALES:
1. PODER, tercera persona del singular.
2. PARECERSE, segunda persona del plural: os ..... .
3. QUERER, segunda persona del singular.
4. TENER, primera persona del singular.
5. SER, primera persona del plural.

VERTICALES:
6. TENER, segunda persona del singular.
7. SER, segunda persona del singular.
8. DECIR, segunda persona del plural.
9. SER, tercera persona del singular.
10. IR, segunda persona del singular.

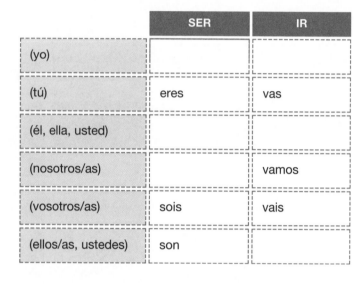

4. a. 19 Escucha una conversación entre dos amigas y marca la opción correcta.

¿De quién hablan?

☐ Del novio de Begoña
☐ De su hermano
☐ De su cuñado

b. 19 V Escucha otra vez y marca la imagen que corresponde a la persona de la que hablan.

5. [V] Entre estos dos dibujos de la familia de Jaime hay ocho diferencias. ¿Cuáles son?

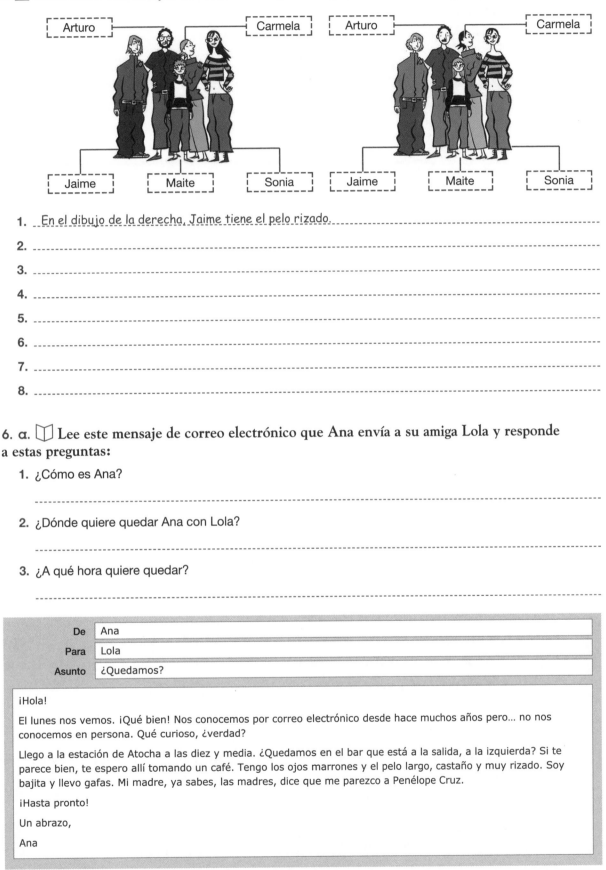

1. En el dibujo de la derecha, Jaime tiene el pelo rizado. _____

2. _____

3. _____

4. _____

5. _____

6. _____

7. _____

8. _____

6. a. [📖] Lee este mensaje de correo electrónico que Ana envía a su amiga Lola y responde a estas preguntas:

1. ¿Cómo es Ana?

   _____

2. ¿Dónde quiere quedar Ana con Lola?

   _____

3. ¿A qué hora quiere quedar?

   _____

De	Ana
Para	Lola
Asunto	¿Quedamos?

¡Hola!

El lunes nos vemos. ¡Qué bien! Nos conocemos por correo electrónico desde hace muchos años pero… no nos conocemos en persona. Qué curioso, ¿verdad?

Llego a la estación de Atocha a las diez y media. ¿Quedamos en el bar que está a la salida, a la izquierda? Si te parece bien, te espero allí tomando un café. Tengo los ojos marrones y el pelo largo, castaño y muy rizado. Soy bajita y llevo gafas. Mi madre, ya sabes, las madres, dice que me parezco a Penélope Cruz.

¡Hasta pronto!

Un abrazo,

Ana

b. [◁] ¿Cómo crees que puede ser la respuesta de Lola? Escríbela en tu cuaderno. Tienes que aceptar la cita y describirte para que Ana pueda reconocerte.

7. a. ⓜ [V] Escucha a Pablo y completa este árbol genealógico con los nombres de los miembros de su familia.

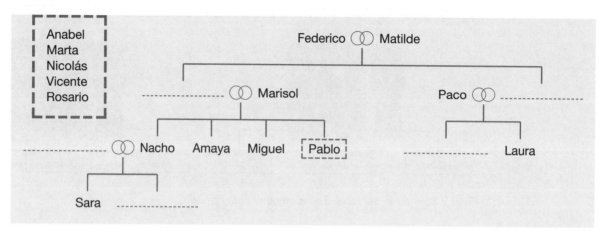

Anabel
Marta
Nicolás
Vicente
Rosario

Federico ⊙ Matilde

-------------- ⊙ Marisol   Paco ⊙ --------------

-------------- ⊙ Nacho   Amaya   Miguel   Pablo   -------------- Laura

Sara   --------------

b. [V] Subraya la opción correcta.

1. Anabel es la **hermana/mujer/prima** de Nacho.
2. Paco es el **tío/primo/marido** de Rosario.
3. Rosario es la **hermana/cuñada/prima** de Marisol.
4. Rosario y Paco tienen dos **primas/hijas/sobrinas**.
5. Nicolás es el **primo/hermano/suegro** de Sara.
6. Vicente y Marisol son los **tíos/cuñados/abuelos** de Sara y Nicolás.
7. Marta es **hermana/cuñada/prima** de Nacho.

8. [G] Completa esta conversación entre dos amigos con los posesivos correspondientes (*mi, tu, su,* etc.).

◆ Luis, ¿cómo se llaman -------------- sobrinos?

◆ Teresa y Eva. Son muy simpáticos. ¿Tú tienes sobrinos?

◆ Sí, tengo tres. Virginia, que tiene cuatro años, Andrés, que tiene dos, y Carlitos, mi sobrino pequeño.

◆ ¿Carlitos es hijo de -------------- hermana Carmen?

◆ No, es hijo de -------------- hermano Antonio. Por cierto, el viernes es -------------- cumpleaños, cumple un añito y -------------- padres van a hacer una fiesta para los amigos. ¿Te apetece venir?

◆ Sí, qué bien. Así le conozco.

◆ ¡Estupendo!

9. [G] Completa estas preguntas con la forma correspondiente: *¿quién es?, ¿quienes son?*

1. ¿-------------- tus padres?
2. ¿-------------- esta chica?
3. Tu marido, ¿--------------?
4. ¿-------------- los hermanos de Alberto?
5. No conozco a esa señora... ¿--------------?
6. ¿-------------- los amigos de Rosa?

10. a. Lee estas sinopsis de películas españolas e hispanoamericanas. ¿Las conoces? Imagina que puedes ver una: ¿cuál crees que es más interesante? Márcala.

Argentina.
Dirección: Juan José Campanella

Sinopsis: Rafael, de 42 años, está en crisis. Divorciado, no tiene tiempo para ver a su hija, no tiene amigos, pasa todo su tiempo en el restaurante de su padre y su madre tiene Alzheimer. Un día se replantea su situación y decide ayudar a su padre para cumplir el sueño de su madre.

España-Alemania.
Dirección: Moncho Armendáriz

Sinopsis: Lourdes, de 25 años, viaja a Obaba con su cámara de vídeo para filmar el presente de las personas que viven allí. Y se encuentra con que sus habitantes viven en un pasado del que no pueden huir.

España-Francia-Italia.
Dirección: Fernando León de Aranoa

Sinopsis: En una ciudad de la costa norte, muchos hombres y mujeres han perdido su empleo tras la reconversión industrial. Un grupo de amigos comparte sus esperanzas y frustraciones.

b. C Escribe lo que dirías en estas situaciones.

1. Un amigo te llama para ir el lunes al cine, pero no tienes mucho dinero... ¿Qué le contestas?

----

2. Tu profesor de español te llama para ir al cine a ver *El hijo de la novia*. ¿Qué le dices?

----

3. Una amiga te propone ver una película, pero tú prefieres ir a ver otra. ¿Qué le dices?

----

11. a. ¿Conoces estos museos de Barcelona? ¿Sabes algo de ellos? Coméntalo con tu compañero.

Museo Nacional de Arte de Cataluña

Museo Picasso de Barcelona

Fundación Joan Miró

b. 21 Ahora, escucha esta conversación entre dos amigos y marca si estas afirmaciones son verdaderas (V) o falsas (F).

V F

1. Quedan el viernes para ir a un cumpleaños.

2. Van el domingo al Museo Nacional de Arte.

3. Van a una exposición en la Fundación Joan Miró.

4. Quedan en el museo.

12. a. ⬚V Además del cumpleaños, ¿qué fiestas sueles celebrar con tu familia?

----

b. ⬚Cs Lee estas afirmaciones sobre algunas fiestas que se celebran en España y marca si crees que son verdaderas (V) o falsas (F).

	V	F
1. El día de Nochebuena se celebra el 24 de diciembre.	☐	☐
2. En Nochebuena mucha gente sale por la noche con los amigos.	☐	☐
3. El día de Navidad se celebra el 25 de diciembre.	☐	☐
4. El día de Reyes se pone en casa el árbol de Navidad.	☐	☐
5. El día de Reyes casi todo el mundo hace regalos a los niños de la familia.	☐	☐
6. El 31 de diciembre se celebra el día de Fin de Año o día de Nochevieja.	☐	☐
7. En Nochevieja todo el mundo cena en casa, con la familia.	☐	☐
8. El día de Navidad se suele organizar una comida familiar.	☐	☐

c. ⬚Cs Coméntalo con tus compañeros.

13. a. ⬚E Lee el título de este texto y escribe tres palabras que crees que vas a encontrar.

----------------------------------   ----------------------------------   ----------------------------------

La última noche del año

La noche del 31 de diciembre al 1 de enero es, para la mayoría de los españoles, sinónimo de fiesta. Al contrario de la cena de Nochebuena y la comida de Navidad, la Nochevieja mucha gente la celebra con los amigos.

Unos cenan con la familia para, después, ir a alguna fiesta en una discoteca de moda, con sus mejores trajes de gala. Otros pasan esa noche con sus amigos.

En España bastantes familias siguen el Fin de Año a través de la televisión, con la retransmisión en directo de las últimas 12 campanadas de la medianoche del día 31 desde el reloj de la Puerta del Sol, en Madrid. Esta costumbre se acompaña de las doce uvas de la suerte: con cada campanada se toma una.

b. 📖 Ahora, lee el texto y responde a estas preguntas.

1. ¿Cuántas campanadas suenan en Nochevieja?

----

2. ¿Qué comen los españoles en ese momento?

----

3. ¿Todos los españoles pasan la Nochevieja en familia, como en Nochebuena y Navidad?

----

4. Y tú, ¿cómo celebras la Nochevieja? Escríbelo en tu cuaderno.

----

14. a. 22 P ¿Cómo crees que se pronuncian estas palabras? Haz hipótesis con tu compañero. Después, escucha y comprueba.

1. aceptar
2. aprendizaje
3. decir
4. felicitar
5. hacer

6. marzo
7. ocio
8. parecer
9. rizado
10. Venezuela

C   Z

b. O Subraya en la lista anterior las palabras que tienen la letra c y rodea con un círculo las que tienen la letra z.

c. O Ahora fíjate en las palabras de 14. a. ¿Qué vocales van detrás de c y de z? Completa la regla.

Ortografía de la c y la z
El sonido /θ/ se representa:
■ con la letra c seguida de las vocales e, _____
■ con la letra z seguida de las vocales a, _____, _____

d. 23 O Escucha una lista de diez palabras y escríbelas en la columna correspondiente.

C	Z

e. O Añade en la lista anterior otras palabras que conoces que se escriben con c o con z.

Ahora ya puedo...

☺ ☹ ☹

	☺	☹	☹
■ hacer y entender una descripción sencilla de una persona (aspecto físico y carácter)			
■ describir brevemente a mi familia y decir a quién me parezco			
■ proponer una actividad conjunta			
■ aceptar o rechazar adecuadamente una propuesta			
■ felicitar el cumpleaños y responder adecuadamente cuando me dan un regalo			

Autoevaluación

1.

Tacha la palabra que no corresponde a la serie.

1. simpático - alegre - divertido - ~~aburrido~~
2. Navidad - cumpleaños - Nochebuena - Nochevieja
3. vago - castaño - pelirrojo - rubio
4. barba - bigote - pelo - pie
5. regalo - tarta - uvas - cumpleaños
6. novio - nieto - suegro - sobrino
7. ¡Muchas gracias! - ¡Qué bien! - ¡Vale! - No puedo.

2.

24 Escucha y marca quién es la persona de la que se habla.

3.

Marca la opción correcta.

1. ¿Te apetece ir a un museo?
   a. ¡Estupendo!
   b. ¡Qué bonito! Muchas gracias.
   c. ¡Felicidades!

2. ¿Estás casado?
   a. Sí, estoy divorciado.
   b. Sí, con Irene.
   c. Sí, soy viudo.

3. ¡Qué generosa!
   a. Sí, es muy rubia.
   b. Sí, es un poco aburrida.
   c. Sí, y es bastante trabajadora.

4. ¿Es Virginia?
   a. No, Virginia lleva gafas…
   b. No, Virginia es gafas...
   c. No, Virginia se parece gafas...

5. ¿Cómo es tu amigo?
   a. Es un poco simpático.
   b. Es muy simpático.
   c. No es un poco simpático.

6. ¿Tus hermanos viven en España?
   a. Nacho sí. Un otro hermano vive en Dublín.
   b. Nacho sí. Mi hermano vive en Dublín.
   c. Nacho sí. Mi otro hermano vive en Dublín.

De compras 4

En esta unidad vas a practicar:

▪ Vocabulario relacionado con las prendas de vestir:	1
▪ Los pronombres de objeto directo (*lo*, *la*, *los*, *las*):	1
▪ Expresar gustos y preferencias:	1, 2, 4
▪ Los horarios comerciales en España y otros países:	3
▪ El presente de indicativo de algunos verbos irregulares:	5
▪ Preguntar y decir el precio de un producto:	6
▪ Los números del 100 al 1000:	7
▪ El nombre de los colores:	8
▪ Recursos para desenvolverte en una tienda:	9, 10
▪ La pronunciación de las letras *p* y *b*:	11
▪ El contraste *porque/por qué*:	12

1. a. 25 V Ana y Cristina están de compras. Escucha
su conversación y rodea con un círculo los nombres
de las prendas que dicen.

un vestido	una camisa	unos pantalones
una blusa	un abrigo	una camiseta
una cazadora	una falda	un jersey
unos zapatos	unas botas	una chaqueta

b. 25 G Escucha otra vez la conversación y escribe qué cosas compran Ana y Cristina.
Responde utilizando los pronombres de objeto directo (*lo, la, los, las*).

1. Un vestido negro. → *Sí, lo compran.*
2. Unos pantalones vaqueros. → *No, no los compran.*
3. Una blusa rosa. → _____
4. Un abrigo. → _____
5. Una cazadora. → _____
6. Una falda azul de pana. → _____
7. Unas botas. → _____
8. Una chaqueta roja. → _____

c. V Y tú, ¿prefieres la ropa formal, informal, cómoda, clásica...? Escribe en tu cuaderno
qué prefieres para estas situaciones.

para ir al trabajo	para salir con tus amigos	para ir a una fiesta	para estar en casa

d. V Pregunta a tu compañero qué ropa prefiere para cada una
de las situaciones del apartado anterior. ¿Tenéis gustos parecidos?

◆ Yo, para ir a trabajar, llevo ropa informal.
◆ Yo no, prefiero la ropa más clásica.
◆ ¿Por ejemplo?
◆ Pues unos pantalones, una camisa y una chaqueta.

2. G ¿Tienes los mismos gustos que Laura? Escribe si coincides o no con ella.
Puedes usar las expresiones *a mí sí/no, a mí también/tampoco.*

1. Me gusta mucho viajar. → *A mí también.*
2. No me gustan las ciudades grandes. → _____
3. Me gustan mucho los perros. → _____
4. Me gusta bailar salsa. → _____
5. No me gusta salir por las noches. → _____
6. Me gustan los ordenadores. → _____
7. La pasta me gusta mucho. → _____
8. No me gusta el fútbol. → _____

3. a. ▯ Cs Lee este texto sobre los horarios de las tiendas en España de la guía de turismo *Viajeros del mundo* y marca si estas afirmaciones son verdaderas (V) o falsas (F).

	V	F
1. Muchas peluquerías y farmacias no abren los sábados por la tarde.	☐	☐
2. Los centros comerciales tienen horario continuado.	☐	☐
3. Las tiendas pequeñas suelen cerrar a la hora de la comida.	☐	☐
4. Las peluquerías normalmente abren los sábados por la tarde.	☐	☐
5. Los bancos abren por la tarde.	☐	☐
6. Lo que más compra la gente en rebajas son regalos.	☐	☐

Horarios comerciales

…Unas flores, chocolate, un diccionario, un sofá. Los grandes almacenes son esas tiendas donde puedes comprar casi todo. En España tienen un horario muy amplio: abren a las diez de la mañana y cierran a las nueve o diez de la noche, de lunes a sábado. Y abren el primer domingo de cada mes, de diez u once de la mañana a nueve o diez de la noche, y algunos festivos. Muchas personas que trabajan prefieren hacer la compra en los grandes almacenes porque pueden ir a la hora de la comida o cuando salen de la oficina. Dos veces al año, en los meses de enero y agosto los precios son más baratos en todos los departamentos, son las rebajas. Entonces mucha gente aprovecha la ocasión para comprar, sobre todo, ropa y zapatos.

También los centros comerciales tienen un horario similar al de los grandes almacenes. Allí hay un montón de tiendas de moda, decoración, regalos, etc. También suele haber cafeterías y pequeños restaurantes donde se puede comer algo sencillo y rápido. Muchos tienen incluso salas de cine. Por eso hay familias a quienes les gusta pasar el día en un centro comercial.

En cuanto al pequeño comercio (tiendas de alimentación, panaderías, pastelerías, tiendas de ropa, farmacias, etc.), el horario es más limitado: normalmente cierran a la hora de la comida, de dos a cinco, aproximadamente, y no suelen abrir el sábado por la tarde. Sin embargo, muchas personas prefieren esta opción porque dicen que las tiendas pequeñas son más tranquilas que los centros comerciales y los grandes almacenes.

Las peluquerías tienen un horario similar al de las pequeñas tiendas. Aunque muchas empiezan a abrir también a mediodía, casi todas cierran los sábados por la tarde.

Por último, los bancos cierran a las dos, pero muchas sucursales abren una tarde o los sábados por la mañana durante los meses de invierno.

b. ◁ Cs Ahora escribe sobre los horarios de tu país: ¿Son similares a los horarios en España? ¿A qué hora abren las tiendas? ¿Y los grandes almacenes y centros comerciales?

----

4. a. 🎧 Escucha varios fragmentos del programa de radio *Gente en la calle* y relaciona cada conversación con la fotografía correspondiente.

n.º _____   n.º _____   n.º _____

b. 🎧 Escucha de nuevo y señala la opción correcta.

1. La mujer prefiere las tiendas pequeñas…
    a. Por la relación con los dependientes.
    b. Porque son más baratas.

2. El hombre prefiere los grandes almacenes…
    a. Porque son más prácticos.
    b. Por los horarios.

3. La chica prefiere los centros comerciales…
    a. Porque son más baratos.
    b. Porque son más cómodos.

c. ◁🎧 G Y tú, ¿dónde prefieres comprar normalmente: en tiendas pequeñas, grandes almacenes…? Escríbelo en tu cuaderno.

La fruta, prefiero comprarla en una frutería o en el mercado.

5. a. G Completa la tabla con las formas correspondientes al presente de indicativo de estos verbos.

	QUERER	PREFERIR	CERRAR
(yo)	quiero		cierro
(tú)			
(él, ella, usted)		prefiere	
(nosotros/as)	queremos		cerramos
(vosotros/as)			
(ellos/as, ustedes)		prefieren	

b. G Completa estas formas verbales con *e* o *ie*.

1. ◆ ¿Qu___res probarte esta falda?
    ◆ No, pref___ro probarme esa, creo que me quedará mejor.

2. ◆ ¿Pref___rís trabajar solos o en equipo?
    ◆ Bueno, pref___rimos trabajar en equipo.

3. ◆ ¿Dónde qu___res ir este año de vacaciones: a la montaña o a la playa?
    ◆ Yo pref___ro la montaña, pero si vosotros qu___réis ir a la playa, no me importa.

4. ◆ ¿Qué qu___res comprarle a Carlos, una mochila o algo de ropa?
    ◆ Yo creo que Carlos pref___re la mochila, la ropa no le gusta mucho.

6. (27) [V] Escucha estas conversaciones entre los vendedores de un gran almacén y sus clientes y marca el precio de cada producto.

1
- ☐ 80,90 €
- ☐ 108,90 €
- ☐ 180 €

4
- ☐ 159 €
- ☐ 155,99 €
- ☐ 105,99 €

2
- ☐ 155,99 €
- ☐ 500,80 €
- ☐ 500,08 €

5
- ☐ 432 €
- ☐ 402 €
- ☐ 452 €

3
- ☐ 200,50 €
- ☐ 250 €
- ☐ 2000,35 €

6
- ☐ 17,40 €
- ☐ 27,40 €
- ☐ 16,40 €

7. a. [G] Completa estas oraciones con la forma correspondiente: *quinientos, quinientas*.

1. El libro tiene .... páginas.

2. El frigorífico cuesta .... euros.

b. [G] Lee la regla y escribe la terminación correspondiente en estas cantidades.

1. Trescient.... kilómetros.

2. Doscient.... personas.

3. Setecient.... millas.

4. Novecient.... treinta y cuatro euros.

5. Cuatrocient.... dólares.

6. Ochocient.... pesos.

El género de los numerales

Los números del 200 al 999 son masculinos o femeninos en función del género del sustantivo al que acompañan.

En esta universidad hay mil novecientos alumnos matriculados.

En el nuevo centro comercial hay doscientas tiendas.

---

c. [V] Relaciona un elemento de cada columna.

1. 0,5 kilómetros	**a.** 4 horas
2. 240 minutos	**b.** 1 kilómetro
3. 480 segundos	**c.** 500 metros
4. 1000 metros	**d.** 8 minutos
5. 365 días	**e.** 1 año

d. [V] Ahora ordena de menor a mayor los números de la columna de la izquierda y escríbelos en letra.

1. *Cero coma cinco kilómetros.* ....

2. ....

3. ....

4. ....

5. ....

8. [V] Ordena las letras para formar los nombres de los colores.

1. Nalcob: _blanco_

4. Oroj: _____

7. Moiralla: _____

2. Jaranan: _____

5. Dreve: _____

8. Rogen: _____

3. Nórmar: _____

6. Luaz: _____

9. Saro: _____

9. a. (28) Alberto está en el probador de una tienda. Escucha su conversación con el vendedor y marca la opción correcta.

¿Qué compra?

☐ Nada.
☐ Dos pantalones.
☐ Unos pantalones.

b. (28) Escucha otra vez la conversación y relaciona un elemento de cada columna.

1. Los pantalones azules...

2. Los pantalones marrones...

3. Los pantalones beis...

4. Los pantalones negros...

5. Los pantalones blancos...

6. Los pantalones de pana...

7. Los pantalones vaqueros...

a. ... le quedan estrechos.

b. ... le quedan anchos.

c. ... le quedan largos.

d. ... le quedan grandes.

e. ... le quedan pequeños.

f. ... le quedan bien.

g. ... le quedan cortos.

10. [C] Completa estos diálogos con las palabras y expresiones del cuadro.

1. ◆ Buenos días, ¿puedo _____?

◆ ¿Me puedo _____ esta camisa?

◆ Sí, claro, ¿cuál es su _____?

◆ La 40.

2. ◆ ¿Qué tal le queda?

◆ No _____ bien, _____ una talla 42.

◆ Aquí tiene. ¿Qué tal le queda esta?

◆ Esta sí, _____.

3. ◆ Por favor, ¿_____ este jersey?

◆ 45,50 €.

4. ◆ ¿Cómo va a pagar, con _____ o en efectivo?

◆ En efectivo.

◆ 52,30 €, por favor.

ayudarla

talla

tarjeta

probar

necesito

cuánto cuesta

me queda

me la llevo

11. a. 29 P **Escucha y repite.**

1. bar	4. hablar	7. baño	10. playa
2. bonito	5. espalda	8. patio	11. pelo
3. puerta	6. pollo	9. baile	12. bollo

b. 30 P **Escucha y completa estas palabras con _p_ o _b_.**

1. se___tiembre	4. ___ágina	7. co___a	10. ___asta
2. hom___re	5. o___jeto	8. cuer___o	11. ___uen
3. sé___timo	6. so___re	9. des___acio	12. ár___ol

12. O **Fíjate en la regla de ortografía y completa estas oraciones.**

Porque / por qué
■ Escribimos _por qué_ cuando preguntamos la causa de algo.
◆ ¿Por qué estudias español?
■ Escribimos _porque_ cuando explicamos la causa de algo.
◆ Porque quiero trabajar en Hispanoamérica.

1. ◆ ¿ _____ no tenemos clase el viernes?

   ◆ _____ es la fiesta del trabajo.

2. ◆ ¿ _____ no sales?

   ◆ _____ tengo que estudiar.

3. ◆ ¿Tú _____ compras en el mercado?

   ◆ _____ es más barato.

4. ◆ Y vosotros, ¿ _____ habláis italiano?

   ◆ _____ nuestra madre es de Roma.

5. ◆ ¿Prefieres trabajar en casa?

   ◆ Sí, _____ tengo mi ordenador allí.

6. ◆ ¿ _____ no te compras esos pantalones vaqueros, no te quedan bien?

   ◆ No, no me los compro _____ son demasiado caros.

Ahora ya puedo...

■ expresar mis gustos sobre la ropa y si coincido o no con los gustos de otra persona			
■ describir ropa de forma sencilla			
■ desenvolverme en una tienda de ropa: pedir una prenda, preguntar su precio, etc.			
■ entender textos, carteles y folletos con horarios de establecimientos públicos			
■ preguntar el horario de tiendas y establecimientos públicos			
■ expresar brevemente mis preferencias a la hora de comprar en distintos tipos de establecimientos			
■ preguntar y responder sobre la causa de algo			

Autoevaluación

1.

En estas oraciones hay una parte destacada que no es correcta.
Busca la opción correcta en la columna de la derecha y sustitúyela.

1. ◆ ¿Prefieres los pantalones azules o los negros?

   ◆ Prefiero **las** negros.   los

2. ◆ ¿**De** qué hora abren los bancos?

3. ◆ A Michael no **te** gusta la gramática.

4. ◆ ¿**Cómo** cuesta ese jersey?

5. ◆ ¿A ti te gusta la pasta?

   ◆ Sí, me gusta mucho.

   ◆ A mí **tampoco**.

6. ◆ Prefiero comprar en el mercado **por qué** es más barato.

7. ◆ La farmacia abre de 9 **hasta** 2.

8. ◆ La chaqueta de pana, me **lo** llevo.

9. ◆ Los cuadernos y los bolígrafos, los venden en la **peluquería**.

10. ◆ En la **zapatería** venden fruta y verdura.

11. ◆ En la panadería compras **los libros**.

12. ◆ Los zapatos los venden en la **perfumería**.

13. ◆ Estas botas, **¿te gusta?**

14. ◆ ¿Tú **porque** estudias español?

15. ◆ Esa bicicleta cuesta **quinientas y treinta** euros.

16. ◆ El cuaderno de ejercicios tiene **quinientos treinta** páginas.

a. el pan

b. por qué

c. le

d. te gustan

e. a

f. la

g. ~~los~~

h. papelería

i. porque

j. también

k. frutería

l. quinientos treinta

m. zapatería

n. quinientas treinta

ñ. cuánto

o. a

Nutrición y salud

5

En esta unidad vas a practicar:

■ Vocabulario relacionado con la comida y la mesa:	1, 2, 3, 4, 10
■ Expresar gustos relacionados con la comida:	1, 2
■ Medidas y recipientes:	3
■ Los adverbios *muy*, *mucho*:	5
■ Proponer actividades, aceptar o rechazar una propuesta y quedar:	6
■ Recursos para desenvolverte en un bar o un restaurante:	7, 8, 9
■ Recomendaciones relacionadas con la salud:	11, 14
■ Hablar de síntomas y enfermedades:	12, 13, 14
■ La pronunciación y ortografía de la letra *r*:	15, 16, 17

1. ⌐G¬ **Escribe la oración correspondiente debajo de cada fotografía.**

(yo)	(tú)	(él, ella, usted)	(nosotros/as)	(vosotros/as)	(ellos/as, ustedes)
encantar ☺☺☺☺☺	gustar mucho ☺☺☺☺	gustar bastante ☺☺☺	gustar ☺☺	no gustar ☹☹	no gustar nada ☹☹☹☹
1. (A mí) me encantan las lentejas.	**2.** _____ _____ _____	**3.** _____ _____ _____	**4.** _____ _____ _____	**5.** _____ _____ _____	**6.** _____ _____ _____

2. ⌐V¬ **Completa esta lista.**

Una comida que me encanta: _____   Un plato que no me gusta nada: _____

Una fruta que me gusta bastante: _____   Algo que siempre hay en mi nevera: _____

Una bebida que me gusta mucho: _____   Un plato que preparo muy bien: _____

3. a. ⌐V¬ **Mira estas fotografías y escribe el nombre del recipiente o medida que representan.**

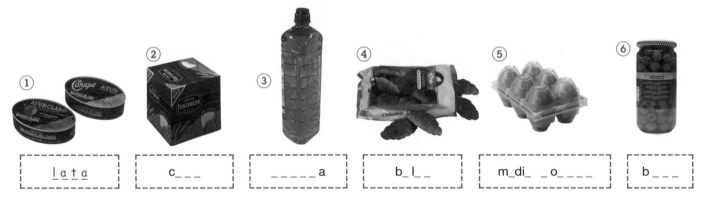

| ① l a t a | ② c _ _ _ | ③ _ _ _ _ _ a | ④ b _ l _ _ | ⑤ m _ di _ _ o _ _ _ _ | ⑥ b _ _ _ |

b. ⌐V¬ **Completa esta conversación en el mercado con las palabras del cuadro.**

◆ Buenos días, ¿qué desea?

◆ Quería unas manzanas. ¿Qué tal son?

◆ Estas son muy buenas.

◆ Pues... póngame medio _____, por favor.

◆ Muy bien, ¿algo más?

◆ Sí, _____ de kilo de zanahorias y _____ kilo de patatas.

◆ ¿No quiere unos tomates? Están muy ricos...

◆ ¿Tomates? Bueno, póngame _____ grandes.

◆ ¿Algo más?

◆ No, nada más. ¿Cuánto es?

tres

un

un cuarto

kilo

4. [V] Localiza en esta serie de letras ocho palabras relacionadas con la mesa y subráyalas.

> ÑOFFÑGDPIXE<u>TENEDOR</u>CUCHOSDLCUCHARATELASERVIETAPLATOREDONN
> CUCHILLONBLSJEIASERVILLETAZOFMENMBASDIOQSLLIEVASOOAESJUQUE
> COPAASNCPDOXNDLSAKRFDUOKVJNSCJDLVCNSLAÑDEPOMANTELPLEISSEF

5. [G] Relaciona un elemento de cada columna. Después, subraya la forma correcta (*muy, mucho*).

1. Me gustan **muy/mucho** estas copas.

2. ¿Vienes **muy/mucho** a este restaurante?

3. Tengo hambre... Quiero comer... ¡**muy/mucho** y rápido!

4. Voy a tomar solo un plato, el segundo. No quiero comer **muy/mucho**.

5. No comes... ¿Es que no te gustan las lentejas?

a. Entonces vamos a un restaurante que conozco que está **muy/mucho** cerca.

b. No, no **muy/mucho**.

c. Sí, me gusta **muy/mucho**. La comida es **muy/mucho** buena.

d. Sí, son **muy/mucho** bonitas.

e. Pero es **muy/mucho** poco. ¿Y si pedimos también una ensalada para los dos?

6. a. (31) Escucha una conversación entre dos amigos y marca a cuál de estos sitios deciden ir.

Asador Sobrino de Botín
Especialidad: chuletón a la brasa, cordero asado. Excelente calidad. Productos de la tierra. En pleno centro. c/ Cuchilleros, 17.
Tel. 91 366 42 17

Cervecería Los Timbales
Tapas, tostadas y raciones. Abierto todos los días de 13.00 a 24.00 h. Reservas en: 91 725 07 68

Tortillería Cáscaras
Tortillas variadas. c/ Santa Engracia, 141. Abierto de una de la tarde a dos de la mañana.

b. (31) Escucha otra vez y marca si estas oraciones son verdaderas (V) o falsas (F).

	V	F
1. Felipe propone quedar a Pedro.	☐	☐
2. Pedro acepta la primera invitación.	☐	☐
3. Quedan para cenar.	☐	☐

c. [C] Imagina que vas a quedar con Pedro y completa esta conversación.

Pedro: Hola, ¿qué tal?
Tú: *(Saludas y propones tomar algo)*

Pedro: Vale. ¿Quedamos esta tarde?
Tú: *(Rechazas y propones otra alternativa)*

Pedro: Vale. ¿Cómo quedamos?
Tú: *(Propones hora y lugar)*

Pedro: De acuerdo.

7. a. Lee la cuenta de este restaurante y responde a estas preguntas.

1. ¿Cuántas personas son?

----

2. ¿Qué han tomado de primero?

----

3. ¿Y de segundo?

----

4. ¿Y de postre?

----

5. ¿Y para beber?

RESTAURANTE Casa Pepe
Camarero: Alberto

1 ensalada	5,50 €
1 sopa	4 €
1 filete con patatas	7 €
1 merluza a la romana	8 €
2 tartas de limón	4,50 € × 2
1 botella de tinto	6 €
1 agua mineral	2 €
1 café con leche	1,50 €
1 café cortado	1,50 €

Total importe: 44,50 €
16% IVA incluido

Gracias por su visita

b. Cs En tu país, ¿esta comida cuesta lo mismo? Coméntalo con tus compañeros.

◆ Yo creo que en mi país esta comida es más barata: la ensalada cuesta menos.

◆ Pues en el mío no, es más cara. Sobre todo el pescado y el vino.

8. a. 32 V Escucha esta conversación entre el camarero de un restaurante y dos clientes y completa el menú.

b. 32 Escucha otra vez la conversación y responde a las preguntas.

1. ¿Cuánto cuesta el menú?

----

2. ¿El precio incluye el postre?

----

3. ¿Qué toma cada uno?

MENÚ DEL DÍA

Primeros
Consomé.
--------------- de la casa.
--------------- de ajo.

Segundos
Merluza en salsa.
Lasaña.
--------------- de ternera
(con ---------------------- o ensalada).

Postres
Flan de la casa.
Tarta casera de queso.
Fruta del tiempo.

Bebida
--------------- de la casa.
--------------- mineral (con gas/sin gas).

9. C ¿Quién crees que dice normalmente estas frases: el camarero o el cliente?

1. ¿Qué lleva la ensalada mixta?

2. La cuenta, por favor.

3. ¿Me pone una ración de albóndigas, por favor?

4. ¿Desean algo más?

5. Uno con leche, por favor.

6. Aquí tienen el menú.

7. ¿Me trae otro cuchillo, por favor?

8. ¿Saben ya qué van a tomar?

10. a. [V] Clasifica estos alimentos.

| lechuga | ternera | plátano | garbanzos | cebolla | salmón | cordero |

| merluza | sardina | fresa | tomate | pollo | sandía | pimiento |

CARNE	PESCADO	LEGUMBRES	FRUTA	VERDURA Y HORTALIZAS

b. [V] Ahora, escribe dos palabras más en cada grupo. Puedes usar el diccionario.

c. [E] Compara tu lista con la de otros compañeros. Si no conoces alguna de las palabras que han anotado, pide que te la expliquen.

11. a. (33) En el programa de radio *Onda Vital* dos personas hablan de nutrición. Escucha y marca quiénes son esas personas.

1.

☐ Una responsable del Ministerio de Sanidad y Consumo.

☐ La ministra de Sanidad y Consumo.

☐ La directora de un colegio.

2.

☐ Una mujer que está de vacaciones en el campo.

☐ Una mujer que dirige una casa rural.

☐ Una mujer que está de vacaciones en una casa rural.

b. (33) Escucha otra vez y escribe qué consejos da cada una de esas personas.

1. --

----

2. --

----

c. Formad grupos. Cada uno escribe en un papel todo lo que ha comido hoy o ayer. ¿A qué conclusiones llegáis? ¿Creéis que coméis sano? Si no es así, ¿qué tenéis que hacer? Elegid a un portavoz y comentad vuestras conclusiones a toda la clase.

◆ Nosotros comemos bastante sano, porque tomamos pescado, verdura, etc. Pero Patrick tiene que beber más agua y tomar más fruta.

12. a. ㉞ Escucha esta conversación y marca adónde llama la persona que habla.

☐ A una farmacia. ☐ A la consulta del médico. ☐ A un hospital.

b. ㉞ Escucha de nuevo la conversación y contesta a estas preguntas.

1. ¿Qué le pasa a la persona que llama?

----

2. ¿Cuándo le quieren dar hora?

----

3. ¿Cuándo va? ¿Por qué?

----

13. a. [V] Completa esta conversación entre una médica y su paciente con las palabras y expresiones del cuadro.

◆ Buenos días.
◆ Buenos días. ¿Qué ----------------------------?
◆ ---------------------------- el estómago y la cabeza…
  No ---------------------- bien.
◆ ¿----------------------------?
◆ No, fiebre no tengo.
◆ ¿----------------------------- las articulaciones, las piernas…?
◆ No.
◆ ¿----------------------------- la garganta?
◆ Tampoco… Pero ----------------------------- todo el día. Me levanto cansado y me acuesto cansado.
◆ ¿----------------------------- últimamente? ¿Hay algo que le preocupa?
◆ Sí, un poco, tengo muchos problemas en el trabajo.
◆ Ya veo. Y, dígame, ¿hace usted deporte?
◆ No…
◆ Pues mire, lo mejor es que se tome usted unos días de descanso, si puede. Tiene que dormir suficiente, al menos siete horas, y también debe hacer algo de deporte.
◆ ¿Y no me receta ningún medicamento?
◆ No. Si le duele la cabeza, puede tomar una aspirina, pero lo que más le va a ayudar es cambiar un poco sus costumbres. Y venga a verme dentro de unos días si no ----------------------------- mejor.
◆ De acuerdo. Gracias, doctora.
◆ De nada, buenos días.

está nervioso
estoy cansado
le duelen
se encuentra
le duele
le pasa
me duelen
me encuentro
tiene fiebre

b. ㉟ Escucha y comprueba.

14. ◁ Imagina que trabajas en una revista de salud y recibes estas cartas de unos lectores. Escribe las respuestas en tu cuaderno dando el consejo que crees más adecuado en cada caso.

Querida doctora:

Tengo problemas para dormir. Estoy siempre muy cansada, tengo muy mala cara y, además, no puedo trabajar bien. Pero, por la noche, no consigo descansar. ¿Qué puedo hacer?

Sofía

¡Hola!

Le escribo porque tengo un pequeño problema. Últimamente me duele el estómago después de comer. Antes no tenía este problema. ¿Es normal? ¿Qué tengo que hacer?

Carlos

15. a. 36 P **Escucha estos trabalenguas y repítelos.**

El cama**r**ero
en ese ba**r**
si**r**ve una tapa
de calama**r**.

Raúl **R**iaza
toma una **r**ación
en la te**rr**aza
del bar **R**amón.

b. O **Fíjate en los trabalenguas del apartado anterior y completa la regla ortográfica.**

Ortografía de la *r*
■ Con sonido débil, entre vocales, se escribe _____ .
■ Con sonido fuerte, entre vocales, se escribe _____ .
■ Con sonido débil, al final de sílaba o tras las consonantes *b, c, d, g, k, p* y *t* formando sílaba con ellas, se escribe *r*.
■ Con sonido fuerte, en inicio de palabra, se escribe _____ .
■ Con sonido fuerte, tras las consonantes *n, s* y *l*, se escribe *r*.

16. 37 P **Escucha y escribe *r* o *rr*.**

1. cucha___a
2. se___villeta
3. azúca___
4. ce___ar
5. zanaho___ia
6. ___estaurante
7. ba___ato
8. ___efresco
9. me___luza
10. post___e
11. ___ación
12. pa___illa

17. O **¿Conoces otras palabras que se escriben con *r* o con *rr*? Escríbelas y luego díctaselas a tu compañero. Corrige después lo que ha escrito.**

Con *r*: _____

Con *rr*: _____

Ahora ya puedo...

■ entender la información básica de un menú en un bar o un restaurante			
■ desenvolverme en bares y restaurantes: preguntar los ingredientes que lleva un plato, pedir la cuenta, etc.			
■ dar y pedir información sobre los gustos relacionados con la comida			
■ dar y pedir información sobre el estado de salud			
■ hacer recomendaciones sencillas sobre la salud			
■ proponer una actividad conjunta y aceptar o rechazar adecuadamente una propuesta			
■ quedar			

Autoevaluación

1.

Relaciona un elemento de cada columna.

1. Nos encanta…
2. Le gustan…
3. Me duele…
4. Te duelen…
5. No les gusta…

a. … la cabeza.
b. … comer.
c. … los pies.
d. … nada el teatro.
e. … mucho las galletas.

2.

Lee estos mensajes y marca la opción correcta.

1.

Sara,

Nicolás no puede ir al cine. Propone quedar mañana. Llámalo.

☐ Quedan hoy.
☐ No quedan hoy.

2.

¿TE APETECE QUEDAR HOY?
¿CENAMOS CON JUAN?
SI PUEDES, QUEDAMOS TARDE,
ES QUE TENGO QUE
ESTUDIAR… LLÁMAME.

☐ Propone quedar hoy para cenar.
☐ Propone quedar mañana por la tarde.

3.

Marca la opción correcta.

1. _____ las piernas, _____ hacer deporte.
   a. Me duele/tengo que
   b. Me duelen/debo que
   c. Me duelen/tengo que

2. No me gusta _____ el teatro, pero me encanta _____ el cine.
   a. nada/Ø
   b. mucho/mucho
   c. bastante/Ø

3. ¿Te apetece _____ hoy al cine?
   a. ir
   b. vamos
   c. salimos

4. _____ tienes vacaciones, _____ ir a Argentina, es un país _____ interesante.
   a. si/tienes que/muy
   b. Ø/tienes/mucho
   c. Ø/debes/mucho

Objetos de casa   6

En esta unidad vas a practicar:

■ Vocabulario relacionado con objetos de uso cotidiano:	1, 3, 4, 7
■ Describir objetos:	2, 4, 7
■ Posesivos:	4, 7
■ Los demostrativos:	5, 7
■ Los interrogativos *qué*, *cuál/es*:	6
■ Dar y pedir información para identificar un objeto:	7
■ Describir una vivienda:	8, 9
■ Dar instrucciones:	10, 11
■ La pronunciación y ortografía de las letras *g* y *j*:	12

1. a. V Lee esta lista de palabras y marca cuáles de los objetos no aparecen en las fotografías.

- □ un marco de fotos
- □ una cartera
- □ una bufanda
- □ una agenda
- □ un despertador
- □ un reloj
- □ una lámpara
- □ unos guantes
- □ un florero
- □ unas llaves
- □ una copa
- □ un bolso

b. E En parejas. Mirad de nuevo la ilustración del apartado anterior durante un minuto. Tapad la actividad 1. a. y escribid el nombre de todos los objetos que recordéis. ¿Quién ha conseguido escribir más?

c. E ¿Crees que las imágenes te ayudan a recordar el vocabulario nuevo? ¿Prefieres otro sistema? ¿Cuál? Coméntalo con tus compañeros.

2. V Clasifica estas palabras en la tabla siguiendo el modelo. Si no conoces el significado de alguna, puedes consultar el diccionario.

algodón | grande | enorme | alargado/a | cristal

ovalado/a | mediano/a | redondo/a | plástico

seda | rectangular | pequeño/a | cuadrado/a | madera

TAMAÑO	FORMA	MATERIAL
Es grande.	Es alargado/a.	Es de algodón.

3. [V] Escribe cinco palabras relacionadas con estas partes de una casa.

La cocina: _____

El salón: _____

El dormitorio: _____

El cuarto de baño: _____

4. a. (38) [V] Ángela y su novio, Luis, van a ir a comprar cosas para su casa. Su amiga Laia los va a acompañar porque también necesita algunas cosas. Escucha la conversación y decide cuál es la lista de Ángela y Luis y cuál es la de Laia.

una lámpara para el salón
un juego de café
una cafetera
unas copas
unos cubiertos
un frutero

una lámpara para la mesilla de noche
una jarra para el agua
unos vasos
un frutero
un florero
un revistero
unas plantas para la terraza

1. Esta es la lista de _____

2. Esta es la lista de _____

b. [G] Cuando van a pagar a la caja, hay un momento de confusión y las cosas de Laia y de Luis y Ángela se mezclan con las de otra clienta. Recuerda lo que han comprado y después completa la conversación con los posesivos correctos.

LAIA: A ver, esta lámpara para la mesilla de noche es __mía__, y la grande es _____ , ¿no, chicos?

ÁNGELA: Sí, sí, es _____. Y también la cafetera, la tetera...

CLIENTA: Disculpe, pero la tetera es _____.

ÁNGELA: ¡Ay! Sí, perdone, es que con tanta bolsa... Y este florero redondo, ¿también es _____?

CLIENTA: Sí, es _____. ¿Y este otro cuadrado es de ustedes?

LAIA: A ver… sí, el cuadrado es _____. Y el revistero, también.

CLIENTA: No, no, perdone, este revistero es _____; el suyo es este de madera.

LAIA: Sí, es verdad, perdón. Ángela, Luis, los cubiertos...

LUIS: Los de acero inoxidable son _____, ¿no, Ángela? Pero estos de plástico no. ¿Son _____, Laia?

LAIA: No, no son _____. ¿Son _____, señora?

CLIENTA: Sí, gracias.

LUIS: A ver. Los vasos y la jarra son _____, Laia. Y también este frutero de cristal.

LAIA: Sí, son _____, gracias. Y las plantas también. ¿Me las acercas, por favor, Luis? Gracias. Y estas velas, ¿son _____?

LUIS: ¿Las velas? No, creo que son de esta señora...

CLIENTA: Sí, gracias, son _____ .

LUIS: ¡Por fin! Ya está todo.

c. (39) [G] Escucha y comprueba.

5. G Mira los dibujos y completa los bocadillos con las oraciones correspondientes.

| ¿Vamos a ver aquellos? | ¿Vemos esos de ahí? | Mira estos abrigos de aquí. |

6. G Completa estos diálogos con los interrogativos correspondientes (*qué, cuál, cuáles*).

1.

◆ ¿_____ fruta prefieres?

◆ No sé..., me gusta todo.

◆ Sí, pero, ¿ _____ fruta te gusta más?

2.

◆ ¿_____ regalo es mejor para Pepe: una película o un disco?

◆ ¿Para Pepe? Una película; le encanta el cine.

3.

◆ ¿_____ lámpara prefieres para el dormitorio: de techo o una pequeña para la mesita de noche?

◆ De techo.

◆ Sí, pero de las de techo, ¿_____ te gusta? Como hay tantos modelos.

4.

◆ ¿Qué te vas a poner para la fiesta?

◆ No sé, no estoy segura. ¿A ti _____ vestido te gusta más, este o este?

◆ El negro, es más elegante.

5.

◆ ¿_____ te gustan más, los zapatos marrones o los negros?

◆ A mí, los marrones. Son preciosos.

6.

◆ ¿_____ película prefieres ver, una de guerra o una comedia?

◆ Mejor vemos la comedia, ¿no?

◆ Bueno.

7. [C] **Relaciona un elemento de cada columna.**

1. ¿Es de lana el jersey?
2. ¿Para qué sirve esto?
3. ¿Te gusta?
4. ¿Cómo es?
5. ¿Qué zapatos te vas a comprar?
6. ¿Usted cuál me recomienda?
7. ¿Es suyo este abrigo, señora?
8. ¿Sabes qué es esto?

a. Estos, son muy cómodos.
b. No estoy seguro, pero creo que es una panera. Sirve para guardar el pan.
c. Sí, es muy elegante.
d. Rectangular, de acero y cristal.
e. ¿Esto? Para abrir botellas.
f. No, es de algodón.
g. Esta. Es cara, pero es una plancha muy buena.
h. No, el mío es aquel, el azul... Está al lado de la chaqueta de piel.

8. a. Lee estos anuncios de venta y alquiler de pisos en Zaragoza y fíjate en las abreviaturas que emplean. Después, escribe el texto completo, siguiendo el modelo.

Barrio San Lamberto 1 Chalé 200 m². 3 dorm., salón, cocina, 2 baños. Buenas vistas. Garaje. Bien comunicado. 250 000 €.	El chalé está en el barrio de San Lamberto. Tiene 200 metros cuadrados. Tiene tres dormitorios, salón, cocina y dos cuartos de baño. Tiene buenas vistas. Tiene garaje y está bien comunicado. Cuesta 250 000 euros.
Zona Universidad 2 Precioso apart. Salón, hab., baño y cocina americana. Calefacción y aire acondicionado. 100 000 €.	
c/ Miguel Servet 3 Piso tres hab., con salón, cocina, aseo y dos baños. Calefac. central. Plaza de garaje opcional. 600 € / mes.	

b. ¿A cuál de los anuncios anteriores crees que corresponde esta fotografía?

☐ Anuncio 1   ☐ Anuncio 2   ☐ Anuncio 3

9. En esta página web organizan intercambios de vivienda para estudiantes. Escribe un texto en tu cuaderno describiendo tu casa. Puedes seguir el modelo.

www.cambiatucasa.com

Me llamo Matthew y vivo en Atlanta. En mi casa hay dos pisos: en la planta baja están la cocina y el salón. Al lado del salón hay una terraza. Y enfrente de la cocina, hay un cuarto de baño pequeño. En el piso de arriba hay dos dormitorios y otro cuarto de baño.

10. 📖 Los teléfonos móviles ofrecen muchas posibilidades. Lee el índice de un manual de instrucciones y marca si estas afirmaciones son verdaderas (V) o falsas (F).

	V	F
1. Para saber cómo encender y apagar el teléfono hay que ir a la página 16.	☐	☐
2. Para saber cuáles son las teclas del teléfono y para qué sirven hay que ir a la página 12.	☐	☐
3. La información para hacer una llamada está en la página 38.	☐	☐
4. Se puede enviar mensajes de correo electrónico a través del teléfono.	☐	☐
5. Si el usuario quiere ver las llamadas recibidas tiene que desplegar el menú 2.	☐	☐
6. El teléfono tiene cámara de fotos.	☐	☐

PARA SU SEGURIDAD 6
Información general 9
Códigos de acceso... 9
Descripción general de las funciones
del teléfono 10

1. Su teléfono 11
Teclas y conectores.. 12

2. Conceptos básicos... 14
Carga de batería 15
Encendido y apagado del teléfono......................... 16
Bloqueo del teclado... 17

3. Funciones básicas 18
Realización de una llamada................................... 18
Marcación rápida.. 19
Opciones durante una llamada.............................. 20
Llamada en espera 21
Altavoz... 22

4. Utilización de los menús 23
Lista de las funciones del menú 23

Mensajes (Menú 1).. 25
– Mensajes de texto.. 25
– Mensajes de correo electrónico............................ 26
– Mensajes multimedia 27
– Borrado de mensajes.. 29
– Mensajes de voz 29
Registro de llamadas (Menú 2)............................... 30
– Lista de las últimas llamadas............................... 30
Guía telefónica (Menú 3).. 31
– Búsqueda de un nombre en la guía...................... 32
Ajustes (Menú 4) 32
– Ajustes de fecha y hora 33
– Ajustes del teléfono 33
– Ajustes de pantalla... 35
– Ajustes de tono 36
Alarma (Menú 5)... 37
Galería de imágenes y tonos (Menú 6) 37
Agenda (Menú 7).. 38
Juegos (Menú 8) 39

5. Problemas más comunes 40
Descripción de averías 41
Servicio técnico 43

11. a. 🔊40 Ana habla con su abuelo acerca del funcionamiento de un aparato. Escucha la conversación y marca de cuál de estos objetos hablan.

☐ un reproductor MP3   ☐ un teléfono móvil   ☐ una agenda electrónica

b. 🔊40 Escucha de nuevo la conversación y relaciona estas instrucciones con la función para la que sirven.

■ Aprietas la tecla azul.

■ Pulsas el número de la opción que quieras.

■ Pulsas la tecla de llamada.

■ Aprietas la tecla asterisco.

■ Marcas el 133.

■ Escuchas las opciones que hay en el menú principal.

Para bloquear el teclado.

Para escuchar los mensajes.

12. a. **P** ¿Sabes cómo se pronuncian estas palabras? Haz hipótesis con tu compañero.

1. **g**ente
2. **j**ersey
3. dibu**j**o
4. **j**udía
5. pá**g**ina
6. **j**arra

7. va**j**illa
8. ami**g**a
9. **gu**erra
10. **g**orro
11. a**g**ua
12. **gu**itarra

b. ㊶ **P** Escucha y repite.

c. **O** Mira las palabras de la actividad 12. a. y completa la regla ortográfica.

| *u* | *a, o, u* | *g* | *j* | *e, i* |

Ortografía de la *g* y la *j*

- La letra .... siempre representa el sonido /x/, por ejemplo, *hija*, *objeto*, *vajilla*, *joven*, *juego*.

- La letra .... representa el sonido /g/, como en **ga**fas, **go**rro, len**gu**a, cuando va seguida de las vocales ....

- La letra *g* representa el sonido /x/, como en con**ge**lador y pá**gi**na, seguida de las vocales ....

- La letra *g* representa el sonido /g/, como en ju**gue**te y **gui**sante, cuando entre las vocales *e*, *i* está la vocal .... (que no se pronuncia).

- En algunas palabras, como *ci**güe**ña* o *pin**güi**no*, la vocal *u* de *güe*, *güi* sí se pronuncia, y se indica con un signo ortográfico: la diéresis.

d. **P** Lee estas palabras en voz alta. Después, subraya las palabras que tengan el sonido /g/ y rodea con un círculo las que tengan el sonido /x/.

1. agenda
2. hijos
3. yogur
4. portugués

5. naranja
6. galleta
7. guinda
8. tarjeta

e. ㊷ **P** Escucha y comprueba.

Ahora ya puedo...

	☺	😐	☹
▪ dar y pedir información para identificar un objeto			
▪ describir de forma sencilla un objeto y valorarlo			
▪ dar y pedir información sobre la elección de un objeto			
▪ preguntar de quién es un objeto			
▪ entender anuncios de prensa de alquiler y venta de vivienda			
▪ hacer una descripción sencilla de una vivienda			
▪ dar y pedir instrucciones sencillas para manejar un aparato			

Autoevaluación

1.

Lee los anuncios y marca si estas afirmaciones son verdaderas o falsas.

	V	F
1. Skop es un programa informático que permite hacer llamadas telefónicas a través del ordenador.	☐	☐
2. Para recibir el pañuelo solo hay que ser cliente de Tiendatú y llamar por teléfono para pedirlo.	☐	☐
3. La nueva consola de juegos tiene, como el modelo anterior, doble pantalla, y permite la conexión entre usuarios de la consola.	☐	☐

BIENVENIDO A SKOP

Queremos saludarte y agradecerte la confianza que has depositado en Skop. Creemos que vas a disfrutar mucho utilizando el servicio de llamadas instalado en tu ordenador. Ya sabes que solo necesitas tu conexión a Internet habitual. Antes de realizar la primera llamada, tienes que saber que las llamadas entre usuarios de Skop son gratuitas.

Tiendatú te regala este pañuelo completamente gratis. Elegante y actual, para todos los días y para todos los momentos. Este precioso pañuelo de seda combina fácilmente con todas tus prendas. Gratis con tu próximo pedido. Mira nuestro catálogo y elige las prendas que más te gustan. Solo tienes que llamar al 900 300 300 y hacer tu pedido para recibir este estupendo regalo.

La nueva consola de juegos **ADVANCE-ND** permite jugar con los juegos del modelo anterior, Game B, y además, con su nueva doble pantalla, las posibilidades de interacción son mucho mayores y más divertidas. Mejor iluminación de la pantalla, conexión entre usuarios de la consola ADVANCE-ND y una batería de mayor duración son algunas de las nuevas ventajas que ofrece ADVANCE-ND por muy poco dinero más.

2.

Marca la opción correcta.

1. ¿De quién es este abrigo?
- **a.** De mío.
- **b.** Es mío.
- **c.** De yo.

2. ¿Qué lámpara prefieres, esta metálica o esa de madera?
- **a.** La metálica. Da más luz.
- **b.** Yo tampoco.
- **c.** De madera.

3. ¿Qué es un ático?
- **a.** Un apartamento pequeño.
- **b.** El último piso de un edificio.
- **c.** Un edificio de varias plantas.

4. ¿Te gustan estos zapatos?
- **a.** No gustan.
- **b.** Me gustan; son muy feos.
- **c.** Sí, son muy bonitos.

5. ¿Cómo es la mesa?
- **a.** Es de Luis y Ana.
- **b.** Es grande, cuadrada, de madera y cristal.
- **c.** Un objeto para trabajar, comer…

6. ¿Y para encenderlo?
- **a.** Aprietas el botón de apagar.
- **b.** Pulsas el botón donde pone *volumen*.
- **c.** Enchufas el aparato y aprietas el botón de encendido.

Ciudades y barrios 7

En esta unidad vas a practicar:

■ Pedir y dar instrucciones para ir a un lugar:	1, 2, 10, 11
■ Pedir y dar información sobre los servicios de una ciudad o un barrio:	2, 3, 4
■ Expresar una opinión, razonarla y decir si se está de acuerdo o no con ella:	3
■ Comparar lugares:	4
■ Hablar del tiempo:	5, 6
■ El gerundio de verbos regulares e irregulares:	7
■ *Estar* + gerundio:	8, 9
■ El imperativo:	10, 11
■ Los números de 1000 en adelante:	12
■ La división de palabras en sílabas:	13, 14

1. G Completa estos diálogos con el verbo correspondiente (*hay, está*).

1. ◆ Perdone, ¿sabe dónde ------------------ la biblioteca?

   ◆ Sí, mire, ------------------ allí, en la plaza que ------------------ al lado de Correos.

   ◆ Gracias.

   ◆ De nada.

2. ◆ Perdona, ¿------------------ algún supermercado por aquí?

   ◆ Sí, ahí ------------------ uno, se llama Superprecio. Y hay otro, Mercabarato, que ------------------ por ahí, a unos cien metros, todo recto.

3. ◆ El teatro ------------------ allí, ¿verdad?

   ◆ No, eso es un cine. Tienes que ir hasta el final de la calle. Allí ------------------ un teatro, El Universal.

   ◆ No, yo busco el teatro Planeta. ¿Sabes dónde ------------------ ?

   ◆ Ah, sí. ------------------ enfrente del Universal.

2. a. G Fíjate en el plano y escribe las preguntas correspondientes a estas respuestas con los indefinidos correspondientes (*algún, alguno(s)/a(s), ningún, ninguno(s)/a(s)*).

1. ◆ <u>¿Hay algún hospital por aquí?</u> ----------

   ◆ Sí, hay uno.

2. ◆ --

   ◆ Sí, hay dos.

3. ◆ --

   ◆ Sí, hay uno al final de esta calle.

4. ◆ --

   ◆ No, no hay ninguno.

5. ◆ --

   ◆ No, no hay ninguna.

6. ◆ --

   ◆ No sé, lo siento, no soy de aquí.

b. C Lee las instrucciones y habla con un compañero. Luego, intercambiad los papeles.

Alumno A	**Alumno B**
Vas a situar en el plano del apartado anterior estos establecimientos y servicios públicos. Tu compañero te va a preguntar sobre su situación, pero solo le puedes responder *sí* o *no*.	Mira el plano del apartado anterior y haz preguntas a tu compañero para saber dónde están estos establecimientos y servicios públicos. Él solo puede responder *sí* o *no*.
una farmacia una parada de metro un museo un banco	una farmacia una parada de metro un museo un banco
◆ ¿El banco está cerca del hospital? ◆ No.	◆ ¿El museo está cerca de la parada de autobús? ◆ No.

3. a. 📖 Lee este artículo sobre El Raval, un barrio de Barcelona, y marca cuál de estas opciones resume mejor su contenido.

☐ El texto trata sobre los cambios que ha experimentado el barrio del Raval.

☐ El texto trata sobre El Raval, un barrio de nueva construcción.

☐ El texto trata sobre el problema de la vivienda en Barcelona.

El centro alternativo de Barcelona
La plaza del MACBA y sus alrededores, una zona multicultural que sube

(…) El Raval, antes conflictivo gueto, es ahora un ejemplo de convivencia y pluralidad. Siguiendo las agujas del reloj y partiendo desde el insigne Museo de Arte Contemporáneo (**MACBA**), encontramos una inmensa área universitaria en construcción, una escuela de primaria, un convento rehabilitado y una zona de terrazas muy de moda presidida por un mural de Chillida.

Una buena manera de entrar en calor es empezar el paseo entrando, desde las Ramblas, por la calle de Tallers, llena de tiendas de discos. Otra entrada es la que ofrece el bullicioso **Mercado de la Boquería**. En su interior, dos bares muy antiguos donde llenar el estómago: el **Quim** y, sobre todo, el **Pinotxo**. Desde primera hora sus desayunos son devorados por trabajadores y noctámbulos a punto de acostarse. (…)

Con la plaza Real llena de turistas y el barrio del Borne convertido en zona de ocio, El Raval toma el relevo como corazón de la Barcelona alternativa, multirracial e integradora, preservando su espíritu de barrio gracias a organizaciones como la Fundació Tot Raval. Sin olvidar las acciones municipales desde los ochenta. Y lo que aún falta: la nueva Filmoteca, el Conservatorio del Liceo o un bloque de viviendas solo para la tercera edad. Así de vital es lo que antes se conocía como el barrio chino, uno de los centros históricos peninsulares más degradados.

© El País, S. L./Jaume Salas

b. 📖 Según el artículo anterior, ¿qué hay actualmente en el barrio? Márcalo en esta lista.

☐ Un colegio

☐ Un museo de arte contemporáneo

☐ Un convento

☐ Un espacio con bares y zonas donde tomar algo al aire libre

☐ Un mercado con dos bares muy conocidos

☐ Una universidad

☐ Un conservatorio

☐ Un lugar de residencia para los mayores

☐ Un hospital

☐ Muchas tiendas de discos

c. 🗨 C ¿Crees que El Raval es un buen barrio para vivir? ¿Por qué? Coméntalo con tus compañeros.

♦ Yo creo que es un buen barrio porque tiene muchos servicios, ¿no?

♦ Sí, tienes razón, pero yo creo que hay demasiado ruido.

d. ◁ La zona en la que vives ahora, ¿te parece un buen barrio? ¿Por qué? Escríbelo en tu cuaderno.

4. a. (43) Escucha una entrevista en la calle y toma notas sobre la información que da cada persona sobre su barrio.

	Persona 1 Vive en el casco antiguo	Persona 2 Vive en el Barrio Blanco
Es...	animado	
Está...		
Tiene/hay...		
No tiene/hay...		

b. (43) [G] Escucha otra vez la entrevista y escribe cuatro oraciones comparando los dos barrios. Puedes usar las estructuras *más/menos... que, mejor/peor... que* y *tan/tanto/a/os/as... como.*

En el casco antiguo hay más ruido que en el Barrio Blanco.

_____

_____

_____

_____

5. [V] Mira estos dibujos y, si es necesario, corrige las oraciones que hay al lado.

Hay calor.

Es nublado.

Hace buen tiempo.

1. _____

2. _____

3. _____

Hace tormenta.

Hace sol.

Llueve.

4. _____

5. _____

6. _____

6. (44) [V] Escucha el parte meteorológico de la radio y sitúa los dibujos en el lugar correspondiente del mapa.

7. [G] Completa el crucigrama con las formas de gerundio correspondientes a estos verbos.

HORIZONTALES:
1. Pasear
2. Decir
3. Ver

VERTICALES:
4. Dormir
5. Ir
6. Pedir

8. [G] Entre estos dos dibujos hay cuatro diferencias. ¿Cuáles son? Escríbelas, utilizando *estar* + gerundio.

1. En el dibujo de la derecha, la mujer está...
2.
3.
4.

9. a. [G] Estas fotografías corresponden a un mismo momento en distintos lugares del mundo. Escribe lo que están haciendo estas personas.

La Paz, 8.30 h.

Bilbao, 13.30 h.

En La Paz están _____

En Bilbao están _____

En Pekín _____

En Melbourne _____

Pekín, 20.30 h.

Melbourne, 22.30 h.

b. Elige una de las fotografías anteriores y descríbela en tu cuaderno: explica qué está haciendo la persona o personas que aparecen, cómo es, dónde está, etc.

10. a. 45 Escucha estas tres conversaciones. ¿Utilizan la forma *tú* o la forma *usted*? Marca la opción correcta.

1. Tú ☐
   Usted ☐

2. Tú ☐
   Usted ☐

3. Tú ☐
   Usted ☐

b. 45 Escucha otra vez el primer diálogo y marca el camino en este plano.

Supermercado

Estás aquí

11. G Transforma este diálogo poniendo los verbos en la forma *usted* del imperativo.

♦ Perdona, ¿sabes dónde hay una oficina de Correos por aquí?

♦ Sí, es muy fácil. Mira, sigue todo recto, coge la primera a la izquierda, crúzala y después del semáforo, gira la segunda a la derecha.

♦ Muchas gracias.

♦ De nada.

♦ _____, ¿sabe dónde hay una oficina de Correos por aquí?

♦ Sí, es muy fácil. Mire, _____ todo recto, _____ la primera a la izquierda, _____ y después del semáforo, _____ la segunda a la derecha.

♦ Muchas gracias.

♦ De nada.

12. V Lee este folleto y escribe las cifras en letra.

¡La CCAC (Ciudadanos Anticontaminación) lucha por una ciudad sana!

En 1996 los índices de contaminación del aire alcanzaron niveles preocupantes en nuestra ciudad. Desde entonces, estos niveles han ido subiendo progresivamente. En 2005 la capital tiene 3 155 359 habitantes y aproximadamente 1 500 000 coches. Nuestro objetivo es convencer a 200 personas cada día para utilizar el transporte público. Eso significa que cada semana alrededor de 1400 personas pueden cambiar sus hábitos para contribuir al cuidado del medio ambiente.

Tú también puedes ayudarnos. Porque, entre todos, podemos hacer de esta ciudad una ciudad más sana y más ecológica.

Si quieres unirte a nosotros, puedes informarte en:

www.CCAC.org

13. a. P En español, las palabras están formadas por, al menos, una sílaba. ¿Sabes cuántas sílabas tienen estas palabras? Anótalas en la columna correspondiente.

1. calor
2. abril
3. este
4. sur
5. octubre

6. tormenta
7. sol
8. tiempo
9. atmosférico
10. primavera

1 sílaba (monosílabas)	2 sílabas (bisílabas)	3 sílabas (trisílabas)	4 o más sílabas (polisílabas)

b. 46 P Escucha y comprueba.

14. a. P Lee la regla sobre los distintos tipos de sílabas que hay en español y complétala con estos ejemplos.

despejado   _oc_tubre_   _cal_or_   _febrero_   _otoño_   _este_   _tormenta_   _primavera_

Tipos de sílabas en español

En español, todas las sílabas tienen que tener una vocal. Las sílabas pueden acabar en vocal o en consonante. Las combinaciones más frecuentes son:

- consonante + vocal (por ejemplo, _casa_, _____ , _____).
- consonante + vocal + consonante (por ejemplo, _cantar_, _____ , _____).
- consonante + consonante + vocal (por ejemplo, _regla_, _____ , _____).
- vocal + consonante (por ejemplo, _alto_, _____ , _____).

b. 47 P Ahora, escucha y divide estas palabras en sílabas.

1. hospital: hos-pi-tal_____
2. parque: _____
3. semáforo: _____
4. parada: _____

5. supermercado: _____
6. banco: _____
7. verano: _____
8. cine: _____

Ahora ya puedo...

☺ ☺ ☹

■ preguntar por la existencia o la situación de un lugar			
■ dar y entender instrucciones para llegar a un lugar			
■ describir una ciudad o un barrio de forma sencilla			
■ comparar lugares			
■ expresar una opinión y argumentarla			
■ expresar acuerdo o desacuerdo con la opinión de otra persona			
■ dar y entender información básica sobre el tiempo atmosférico			

Autoevaluación

Lee esta postal y complétala con las palabras del cuadro.
Pon mayúsculas si es necesario.

a   es *(3 veces)*   está *(5 veces)*

hace *(2 veces)*   hay *(2 veces)*   llueve

más   que   tanta

tanto   como *(2 veces)*

¡Hola, Joseph!

¿Cómo estás? Yo, muy contenta. Ya sabes que ahora vivo en Bilbao.
---------------------- una ciudad que ---------------------- al norte de España.
Allí -------------------- el Museo Guggenheim, donde ---------------------- muchas
y muy interesantes exposiciones. Seguro que lo conoces. ----------------------
también una ría, que ---------------------- una entrada del mar en la ciudad.

Muy cerca, ---------------------- unos 80 kilómetros, ----------------------
San Sebastián. ---------------------- una ciudad ---------------------- pequeña
---------------------- Bilbao. ---------------------- más cerca del mar y no tiene
-------------------- contaminación ---------------------- Bilbao, porque no
es tan industrial.

En Bilbao no ---------------------- mucho frío, pero no ----------------------
---------------------- calor ---------------------- en el Mediterráneo.
---------------------- y ---------------------- nublado muchas veces,
pero... ¡a mí me gusta mucho! A ver si vienes a visitarme pronto.

Un beso,

Eva

Joseph Wilson

19 Anglesea Street

Dublin (Ireland)

Marca la opción correcta.

1. Perdone, ¿sabe dónde hay una librería?
   - **a.** No, coge la primera a la izquierda.
   - **b.** Sí, coja la primera a la izquierda.
   - **c.** No hay.

2. ¿Hay algún restaurante por aquí?
   - **a.** No, hay ninguno.
   - **b.** No, no hay ninguno.
   - **c.** No, no hay ningún.

3. ¿Qué tiempo hace?
   - **a.** Hay calor.
   - **b.** Hace calor.
   - **c.** Está caliente.

4. ¿Cuánto cuesta ese apartamento?
   - **a.** Tres cientos cincuenta mil euros.
   - **b.** Cientos mil euros.
   - **c.** Doscientos mil euros.

5. ¿Dónde está Juan?
   - **a.** En su cuarto. Está hablando por teléfono.
   - **b.** En su cuarto. Está habliando por teléfono.
   - **c.** En su cuarto. Está habliendo por teléfono.

6. ¿Te gusta tu nuevo barrio?
   - **a.** Sí, mucho, tiene un montón de comercios y zonas verdes.
   - **b.** Sí, mucho, es comercios y zonas verdes.
   - **c.** Sí, mucho, está con comercios y zonas verdes.

En esta unidad vas a practicar:

■ Pedir y dar información sobre acciones habituales:	1
■ Pedir y dar información sobre actividades de ocio y tiempo libre:	2, 3
■ Algunos usos de *ser* y *estar*:	4
■ Pedir y dar información relacionada con los deseos, gustos y preferencias:	5, 6
■ Las oraciones condicionales:	7
■ Quedar:	8
■ Aceptar o rechazar una propuesta:	9
■ Los recursos para hablar por teléfono:	10, 11
■ Pedir y dar información sobre planes e intenciones:	12
■ La sílaba tónica:	13
■ El diptongo, el triptongo y el hiato:	14
■ La división de palabras en sílabas:	14

1. a. [V] Lee esta lista de palabras y marca cuáles de las acciones no aparecen en las fotografías.

- [ ] levantarse
- [ ] desayunar
- [ ] utilizar el ordenador
- [ ] escuchar música
- [ ] leer (una novela, el periódico, una revista…)
- [ ] conducir
- [ ] maquillarse
- [ ] afeitarse
- [ ] hacer deporte
- [ ] ir de compras
- [ ] hacer la compra
- [ ] dormir la siesta
- [ ] poner la lavadora
- [ ] planchar
- [ ] ver la televisión
- [ ] cenar
- [ ] acostarse
- [ ] cocinar

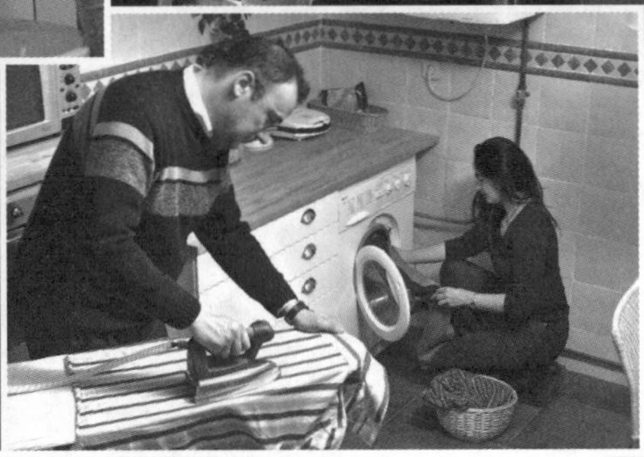

b. [C] ¿Qué cosas de la lista anterior no haces nunca? Pregunta a tu compañero para saber si coincide contigo.

◆ Yo nunca duermo la siesta. ¿Y tú?
◆ Yo tampoco.

c. [C] Contad al resto de la clase las cosas que tenéis en común. ¿Hay algo que no hace nadie del grupo?

◆ Nosotros nunca dormimos la siesta. ¿Y vosotros?
◆ No, nosotros tampoco.
◆ Pues yo sí, los fines de semana.

2. a. 48 [V] Escucha a Carlos y a Rosa, que hablan de lo que suelen hacer los domingos, y marca en esta lista las actividades que realizan.

☐ desayunar en casa
☐ levantarse tarde
☐ ver una exposición
☐ comer con la familia
☐ hacer la compra
☐ nadar

☐ escuchar música
☐ ir al cine
☐ acostarse pronto
☐ hacer deporte
☐ trabajar en el jardín
☐ jugar al tenis

☐ ver la televisión
☐ ir de compras
☐ dormir la siesta
☐ cocinar
☐ desayunar en un bar
☐ montar en bicicleta

b. 48 Escucha otra vez la conversación y marca a quién corresponden las siguientes afirmaciones: a Rosa, a Carlos o a los dos.

	Carlos	Rosa
1. Normalmente se levanta más tarde que durante la semana.	☐	☐
2. Desayuna fuera de casa.	☐	☐
3. Va a montar en bicicleta.	☐	☐
4. Por la tarde va a nadar.	☐	☐
5. A veces come con sus suegros.	☐	☐
6. Algunas veces va a ver una exposición.	☐	☐
7. A veces sale con unos amigos.	☐	☐
8. Suele leer el periódico.	☐	☐
9. Ve un rato la tele.	☐	☐
10. Se acuesta antes de las doce.	☐	☐

c. ¿Cómo son tus fines de semana? ¿Qué sueles hacer? ¿Con quién coincides más, con Rosa o con Carlos? Escríbelo.

Coincido más con _____ porque _____
_____
_____
_____
_____

3. [V] ¿En qué lugar se suelen realizar estas actividades? Márcalo. Ten en cuenta que puede haber más de una posibilidad.

1. Ver una exposición:
   ☐ en un museo   ☐ en un teatro   ☐ en una galería de arte   ☐ en un supermercado

2. Escuchar un concierto:
   ☐ en un centro comercial   ☐ en un hospital   ☐ en una plaza de toros   ☐ en un teatro

3. Ver un partido de fútbol, de baloncesto, etc.:
   ☐ en un polideportivo   ☐ en un cine   ☐ en un estadio   ☐ en un museo

4. Ir de compras:
   ☐ en un centro comercial   ☐ en un parque   ☐ en un gran almacén   ☐ en un museo

5. Hacer senderismo:
   ☐ en una galería de arte   ☐ en la calle   ☐ en el campo   ☐ en un parque

4. G Completa estas oraciones con la forma correspondiente de los verbos *ser* o *estar*.

1. La reunión .... en la sala de profesores a las once.

2. La fiesta .... en casa de Ali. Si quieres, podemos ir juntos.

3. El Jardín Botánico .... al lado del Museo del Prado, ¿verdad?

4. ¿Cuándo .... el concierto, hoy o mañana?

5. ¿La sala Capitol .... cerca de la calle Alcalá?

6. La librería Cervantes .... en la calle Mayor.

5. a. 📖 Cs Estas son algunas fiestas populares de países de habla hispana. ¿Conoces alguna? Escribe junto a cada texto el número de la fotografía correspondiente.

Día de Difuntos (México).

Carnaval de Tenerife (España).

Feria del Caballo de Jerez (España).

Las Fallas de Valencia (España).

Carnaval de Oruro (Bolivia).

1. Es una fiesta de Interés Turístico Internacional basada en la construcción de grandes figuras que representan escenas y personajes que, en muchos casos, dan una visión satírica de la actualidad. Estas figuras se exponen por las calles y se queman la noche del 19 de marzo (el día de San José), en la llamada *cremà* (la quema). También se celebran varias *mascletás*, que son espectáculos de petardos y fuegos artificiales. ◯

2. Miles de personas salen a la calle cada año durante más de una semana para ver este desfile compuesto por multitud de agrupaciones musicales y grupos de disfraces, con los que miles de personas bailan al son de ritmos caribeños y de moda. ◯

3. Esta fiesta tiene su origen en las reuniones de ganaderos para el comercio equino. Actualmente la gente se reúne para bailar y comer algo en las casetas que se montan, que compiten en un concurso a la mejor tapa y a la mejor decoración. Durante toda la semana, desfilan caballos con sus jinetes por la feria. Mucha gente lleva el típico traje corto o el traje de gitana. ◯

4. Entre el 1 y el 2 de noviembre tiene lugar esta celebración en honor a los muertos. Es de carácter alegre, porque se celebra la vida. Muchas familias limpian y decoran las tumbas de sus seres queridos con flores y velas. En muchas casas se instalan altares con ofrendas, que pueden ser distintos objetos y comida. Uno de los símbolos más conocidos son las calaveras de azúcar, que se comen con familiares y amigos. ◯

5. Esta fiesta se celebra en honor a la Virgen del Socavón. Coincide con las fiestas del Carnaval. Se bailan varias danzas folclóricas; la más conocida es la Diablada, que es un baile tradicional boliviano que representa la lucha entre el bien y el mal. Hoy día existe en varios países de Hispanoamérica. ◯

b. 🖊 Escribe en tu cuaderno a cuáles de las fiestas anteriores te gustaría asistir. Justifica tu respuesta.

Me gustaría ir a las Fallas porque me gustan mucho los fuegos artificiales.

6. [G] Lee estas oraciones y subraya la forma correcta del pronombre.

1. **Me/Te/Le** encanta la música clásica y **me/te/le** gustaría ir al próximo concierto del Auditorio. ¿A ti **me/te/le** apetece venir conmigo?

2. A mis compañeros de clase no **nos/os/les** apetece ir al Café Berlín para escuchar una actuación de *jazz*. ¿**Nos/Os/Les** apetece venir a vosotros?

3. Si a Carlos **te/le/nos** gusta la verdura o el arroz, podemos ir a cenar a un restaurante vegetariano.

4. A mí **te/nos/me** encantan el tango y el flamenco, pero a mi novio no **te/le/me** gustan nada.

5. Y a vosotros, ¿qué **nos/os/les** apetece: comida italiana o asiática?

6. ¿A ti **me/te/le** gusta cocinar, Paul?

7. [G] Relaciona un elemento de cada columna.

1. Si vamos a ir al cine,…	a. … tienes que levantarte temprano y salir pronto.
2. Si no quieres encontrar tráfico en la carretera,…	b. … tenemos que mirar la cartelera.
3. Si compramos un ordenador portátil,…	c. … puedes quedarte en mi casa, no hay problema.
4. Si te apetece venir a Madrid,…	d. … podemos usarlo los dos, así ahorramos algo de dinero.
5. Si termino tarde,…	e. … te llamo por teléfono para avisarte.

8. [C] Escribe una pregunta para cada respuesta. Puede haber más de una opción.

1. ◆ --
   ◆ En la entrada de la estación. ¿Te parece bien?
   ◆ Sí, muy bien, allí estaré.

2. ◆ --
   ◆ Pues a las cinco o cinco y media, más o menos.
   ◆ Mejor a las cinco y media.

3. ◆ --
   ◆ El sábado, ¿vale? Es que el viernes ya tengo planes.
   ◆ Perfecto. Entonces, hasta el sábado.

4. ◆ --
   ◆ No sé, tengo que hablar con Marisa. Mira, te llamo mañana y lo pensamos, ¿de acuerdo?
   ◆ Vale.

> ¿Cuándo quedamos?
> ¿Dónde quedamos?
> ¿A qué hora quedamos?
> ¿Qué día quedamos?
> ¿Cómo quedamos?

9. [C] ¿Qué dirías en estas situaciones? Puedes aceptar las propuestas, rechazarlas o hacer otra propuesta.

1. Unos amigos: «¿Te apetece ir a tomar unas tapas el domingo por la mañana?»

   ----

2. Tus compañeros de piso: «¿Hacemos una fiesta en casa el sábado por la noche?»

   ----

3. Un compañero de clase: «Hay una exposición de artesanía latinoamericana en el centro. ¿Te apetece ir a verla esta tarde o mañana?»

   ----

4. Un amigo: «Tengo dos entradas para ir a ver el Ballet Nacional de Cuba el sábado por la noche. ¿Quieres acompañarme?»

   ----

10. a. [C] Lee estas conversaciones telefónicas y numera las frases para ordenarlas.

1.

☐ ◆ Muy bien, yo se lo digo.
☐ ◆ Gracias.
☐ ◆ En este momento no se puede poner. ¿Quiere dejarle un mensaje?
[1] ◆ Buenos días. ¿El señor Calvo, por favor?
☐ ◆ Sí, por favor, dígale que ha llamado Ángeles Ruiz, de Comersa.

2.

☐ ◆ ¿Para cuándo?
☐ ◆ Buenos días. Quería reservar una mesa para dos personas.
☐ ◆ Para el sábado a las nueve y media.
☐ ◆ Restaurante Zarauz, ¿dígame?
☐ ◆ Inmaculada Pelayo.
☐ ◆ De acuerdo. Queda reservada.
☐ ◆ Muchas gracias.
☐ ◆ ¿A qué nombre?

3.

☐ ◆ ¿El día tres de abril a las cuatro de la tarde le viene bien?
☐ ◆ Sí, Eugenia Carrión.
☐ ◆ Consulta del doctor Leal. ¿Dígame?
☐ ◆ Sí, perfecto. El día tres a las cuatro de la tarde.
☐ ◆ A usted, buenas tardes.
☐ ◆ Buenas tardes. Quería pedir hora con el doctor.
☐ ◆ ¿Me dice su nombre, por favor?
☐ ◆ Muchas gracias.

4.

☐ ◆ No, se ha equivocado.
☐ ◆ ¡Ah! Perdone.
☐ ◆ ¿Está Isabel?
☐ ◆ Nada, nada.
☐ ◆ ¿Dígame?

5.

☐ ◆ ¿Sí?
☐ ◆ ¿Puede decirle que la ha llamado Alberto?
☐ ◆ Hola. ¿Está Begoña, por favor?
☐ ◆ Sí, sí, yo se lo digo.
☐ ◆ No, Begoña no está, ha salido.

(continuación 3.)

☐ ◆ Por favor, ¿está Cristina?
☐ ◆ Un momento, ahora se pone.
☐ ◆ ¿De parte de quién?
☐ ◆ Gracias.
☐ ◆ De Luis.
☐ ◆ ¿Diga?

b. 🔊49 Escucha y comprueba.

11. [C] Relaciona un elemento de cada columna.

1. Hola, buenos días, quería pedir hora…
2. Por favor, quería pedir información…
3. Por favor, quería reservar una mesa…
4. Por favor, quería preguntar…

a. … para cuatro personas, para esta noche a las nueve.
b. … si tienen una habitación libre para el próximo sábado.
c. … para la consulta de la doctora Carrión.
d. … sobre el horario de trenes a Segovia.

12. [G] Lee esta lista, elige cuatro cosas que piensas hacer y escribe cuándo vas a hacerlas.

- ■ llamar por teléfono a tu familia
- ■ ir al cine
- ■ salir de compras
- ■ ir al dentista
- ■ hacer un viaje

- ■ leer una novela
- ■ ir a un concierto
- ■ quedar con tus amigos
- ■ cortarte el pelo
- ■ preparar una cena especial

Voy a llamar por teléfono a mis padres este fin de semana.

_____

_____

_____

_____

13. a. P Todas las palabras en español tienen una sílaba tónica, que se pronuncia con más intensidad que las otras (sílabas átonas). Lee en voz alta estas palabras. ¿Cuál crees que es la sílaba tónica? Subráyala.

1. lunes		6. cocina	
2. escritor		7. sábado	
3. planta		8. libro	
4. mapa		9. botella	
5. tranquilo		10. amigo	

b. ⑤⓪ P Escucha y comprueba.

14. a. P Como sabes, las sílabas en español siempre tienen que tener una vocal, pero, a veces, aparecen dos o más vocales juntas. Lee la regla y complétala con los ejemplos del cuadro.

mu-se-o	*via-je*	*ciu-dad*	*dí-a*	*trein-ta*	*rí-o*

Diptongos, triptongos e hiatos

■ El **diptongo** es la unión de dos vocales que se pronuncian en una misma sílaba.
Hay catorce combinaciones posibles: *ia, ie, io, iu, ua, ue, ui, uo, ai, ei, oi, au, eu, ou*.
Por ejemplo, *cau-sa, buen, rui-do*, _____, _____, _____ .

■ Cuando tres vocales se pronuncian en la misma sílaba, forman un **triptongo**.
Por ejemplo, *cam-biáis*.

■ El **hiato** se produce cuando hay dos vocales seguidas, pero que se pronuncian en sílabas diferentes.
Por ejemplo, *pa-e-lla, a-hí, cre-er*, _____, _____, _____ .

b. ⑤① P Escucha y divide estas palabras en sílabas.

1. puerta: puer-ta	6. cien: _____	11. aire: _____
2. poeta: _____	7. teatro: _____	12. reina: _____
3. caer: _____	8. euro: _____	13. veinte: _____
4. invierno: _____	9. Suiza: _____	14. estudiáis: _____
5. ahora: _____	10. real: _____	15. agua: _____

Ahora ya puedo...

☺ ☺ ☹

	☺	☺	☹
■ hablar de acciones habituales			
■ hablar de actividades culturales y de ocio			
■ expresar entusiasmo, indiferencia o decepción ante una propuesta			
■ expresar gustos y deseos			
■ mantener una conversación telefónica: responder a una llamada, preguntar por alguien, etc.			
■ quedar con una persona			
■ hablar de planes y proyectos			

1.

Lee el mensaje de correo que Wilma escribe a unos amigos. Después, marca la respuesta correcta.

1. En el texto, Wilma dice que:

   a. a los españoles les gusta invitar a sus amigos a cenar en casa.

   b. a los españoles les encanta salir.

   c. a los españoles les encanta quedarse en casa.

2. Comparados con los de otros países, los horarios en España son diferentes porque:

   a. la gente come, cena y se acuesta más tarde.

   b. los horarios de los restaurantes son distintos.

   c. la gente come pronto.

3. A Wilma, en general, la ciudad en la que está:

   a. le gusta.

   b. no le gusta.

   c. le parece aburrida.

4. A Wilma no le gusta nada:

   a. conducir por la ciudad.

   b. el ruido de la ciudad.

   c. ir en bicicleta por la ciudad.

De	wilma
Para	tom; eva; ivan; clara; gemma
Asunto	¡Hola!

¡Hola, chicos!

¿Qué tal? Yo estoy muy contenta. Después de dos meses en España, ya puedo contaros algo de este país y su cultura... La vida aquí es diferente en algunas cosas, pero creo que os gustaría mucho. Por ejemplo, a los españoles les encanta salir fuera a comer, a cenar, a tomar tapas, a pasear... en la calle siempre hay gente. A los españoles les encanta salir fuera a comer, a cenar, a tomar tapas, a pasear... en la calle siempre hay gente.

Si lo comparo con nuestras costumbres, aquí todo se hace tarde: desayunar, cenar, acostarse... Con mis compañeros de piso como entre las dos y media y las tres. ¿Os imagináis? Y, por ejemplo, puedes ir a cenar a un restaurante a las diez y media o las once de la noche, porque cierran bastante tarde.

Algo que me llama la atención es que aquí la gente usa mucho el coche. Hay metro y autobús para moverse por la ciudad, pero no los usa todo el mundo. No lo entiendo, la verdad. Como normalmente hace buen tiempo, yo prefiero ir en bicicleta o dar un paseo. De todas formas, tengo suerte, porque la escuela está bastante cerca de casa.

Una cosa que no me gusta nada es el ruido. Aquí hay bastante ruido: ruido de coches, música, la televisión en los bares... Y la gente habla muy alto. Bueno, no siempre, pero a veces me sorprende un poco.

Hablando de bares, en la calle hay muchos; y también restaurantes, cafeterías y mesones. Normalmente la comida es muy rica. Lo que más me gusta es la tortilla de patata, las croquetas y el jamón ibérico. ¡Tenéis que probarlo!

Como esta es una ciudad muy animada, todos los fines de semana hay algo que hacer: hay conciertos, exposiciones, obras de teatro... Y hay muchas cosas que ver: el centro histórico, los museos de pintura, la plaza mayor... Tenéis que venir a visitarme, os va a encantar. Si queréis venir en abril, tengo sitio en casa. ¡Me gustaría muchísimo!

Escribidme pronto, os echo mucho de menos. Un abrazo para todos,

Wilma

¡Vamos a conocernos mejor! 9

En esta unidad vas a practicar:

▪ Hablar del carácter de una persona:	1, 2
▪ Hablar de habilidades y aptitudes:	3, 4
▪ Pedir un favor y ofrecer ayuda:	5, 6
▪ Pedir permiso y concederlo:	7
▪ El pretérito perfecto de indicativo:	8, 9, 10, 11
▪ Vocabulario relativo a estados de ánimo:	9
▪ La combinación de pronombres de objeto directo e indirecto:	12
▪ La entonación de oraciones enunciativas, interrogativas y exclamativas:	13
▪ La pronunciación de las letras *y* y *ll*:	14

1. a. [V] Estos adjetivos sirven para describir el carácter de una persona. ¿Crees que son positivos o negativos? Escríbelos en la columna correspondiente.

inteligente	puntual
triste	pesimista
desordenado	trabajador
impaciente	optimista
sociable	tímido
nervioso	vago
independiente	egoísta
generoso	ordenado
responsable	antipático

POSITIVOS	NEGATIVOS

b. [V] Escribe en tu cuaderno tres cualidades que debe tener cada una de estas personas. Si lo necesitas, puedes consultar el diccionario.

| Un compañero de piso | Un amigo | Tu pareja | Un compañero de trabajo | Tu jefe |

c. [BLA BLA BLA] [V] Comenta con tus compañeros lo que has anotado en el apartado anterior. ¿Tenéis muchas coincidencias?

2. a. (52) [V] Al programa de radio *Onda vital* de hoy los oyentes llaman para hablar del carácter de familiares y amigos. Escucha los mensajes y complétalos con los adjetivos que faltan.

1. Mi novio es muy _____ . Es una persona muy _____

   y bastante sociable. No es nada _____ .

2. Mi jefe se llama Enrique y es un hombre muy _____, muy inteligente, bastante

   _____, comunicativo y muy ordenado, pero un poco _____ .

3. Miguel, mi hijo, es muy creativo, bastante _____, pero también es algo

   _____ y un poco nervioso. Y es muy _____ .

b. [◁] [V] Elige a dos de estas personas, piensa en cómo crees que son y escríbelo en tu cuaderno.

RAÚL GONZÁLEZ

PENÉLOPE CRUZ

MIJAIL GORBACHOV

GLORIA ESTEFAN

c. [BLA BLA BLA] [E] Escribir las palabras nuevas, ¿te ayuda a recordarlas? ¿Utilizas otros sistemas? Coméntalo con tus compañeros.

3. a. (53) **Clara y Miguel están terminando de organizar las mesas de su banquete de boda. Escucha y escribe los nombres de estos invitados en la mesa correspondiente.**

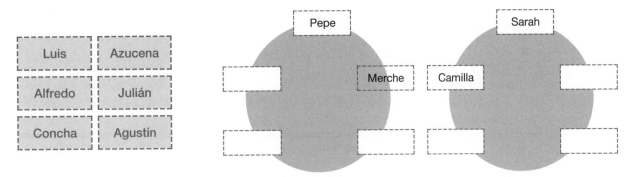

Luis   Azucena

Alfredo   Julián

Concha   Agustín

b. (53) **Escucha otra vez a Clara y a Miguel y relaciona un elemento de cada columna. Ten en cuenta que puede haber más de una posibilidad.**

1. Merche sabe…

2. Pepe sabe…

3. Luis no tiene…

4. Concha sabe…

5. Sarah y Camilla saben…

6. Sarah y Camilla no saben…

7. Alfredo, Julián y Agustín saben…

8. Alfredo, Julián y Agustín tienen…

a. … contar unos chistes muy buenos.

b. … sentido del humor.

c. … bailar muy bien.

d. … hablar muy bien español.

e. … hablar inglés.

f. … cocinar muy bien.

c. [BLA BLA BLA] [C] **Imagina que estás invitado a la boda de Miguel y Clara. ¿En qué mesa preferirías sentarte: en la de Pepe y Merche o en la de Camilla y Sarah? ¿Por qué? Coméntalo con tu compañero.**

◆ Yo preferiría sentarme en la mesa de Sarah y Camilla porque a mí también me gusta bailar.

◆ Pues yo preferiría la otra mesa, porque Pepe parece muy divertido. Además, no hablo inglés.

4. a. [V] **Completa estas oraciones con la forma correspondiente de los verbos *saber* o *tener*.**

1. Rosa es una jefa estupenda, _____ mucha paciencia.

2. Voy a hacer un curso de cocina, porque no _____ cocinar y quiero aprender.

3. Para este trabajo tienes que _____ inglés.

4. Siempre me río con Germán, _____ mucho sentido del humor y _____ contar muy bien los chistes.

5. Mi madre _____ muy buena memoria. Siempre se acuerda del cumpleaños de toda la familia. ¡Y no se equivoca nunca!

6. Aurora, ¿_____ cómo se llama este actor? Es que ahora no me acuerdo.

b. [BLA BLA BLA] [C] **Piensa en las habilidades que tienes y en tus aficiones y anótalas. Luego, coméntalo con tus compañeros y descubre con quién tienes más cosas en común.**

■ Habilidades: _____

■ Aficiones: _____

5. a. C Lee estos diálogos y subraya la opción correcta.

1. ◆ Disculpe, por favor, ¿puede ayudarme con la maleta?

◆ **Sí, claro./No, no puedo.**

2. ◆ ¿Puedes prestarme el diccionario un momento, por favor?

◆ Lo siento, pero es que ahora lo estoy utilizando.

◆ **Bueno, no pasa nada./No importa, me lo llevo.**

3. ◆ ¿Puede darme un folleto con las actividades del museo, por favor?

◆ **Sí, claro que puedo./Sí, por supuesto.**

4. ◆ Por favor, ¿puede darme un vaso de agua?

◆ **Sí, claro. Aquí tiene./No pasa nada.**

5. ◆ ¿Puedes dejarme un bolígrafo, por favor?

◆ Un momento, voy a ver si tengo otro. Sí, mira, tengo este, pero es rojo.

◆ **No importa. Muchas gracias. Después de la clase te lo devuelvo./No lo quiero.**

6. ◆ ¿Qué te pasa?

◆ Es que tengo mucho trabajo.

◆ **¿Te ayudo?/¿Puedes ayudarme?**

◆ Ay, sí, muchas gracias.

b. 54 Escucha y comprueba.

6. G Después de celebrar una fiesta en vuestro piso, tu compañero y tú tenéis que hacer muchas cosas. Él se ha tenido que ir urgentemente fuera de la ciudad y te deja esta lista. Complétala con las palabras del cuadro.

Las ventanas están abiertas. Por favor, __ciérralas__.

Los platos y los vasos sucios están encima de la mesa de la cocina. Por favor, _____ .

El ordenador está encendido. Por favor, _____ .

El suelo está muy sucio. Por favor, _____ .

La estantería del salón está muy desordenada. Por favor, _____ .

La basura está en la cocina. Por favor, _____ .

Las plantas están secas. Por favor, _____ .

La lavadora está llena de ropa. Ya tiene el jabón. Por favor, _____ en marcha.

¡Muchas gracias!

Tom

~~ciérralas~~

ponla

sácala

ordénala

friégalo

riégalas

apágalo

lávalos

7. G Completa las respuestas a estas preguntas con los pronombres de objeto directo correspondientes (*lo, la, los, las*).

1. ◆ ¿Puedo utilizar el ordenador un momento?

◆ Sí, claro. Utilíza_lo_ .

2. ◆ ¿Me dejas hacer el crucigrama del periódico? Es que me encanta.

◆ Sí, claro. Haz_____ .

3. ◆ ¿Puedo bajar el volumen de la televisión? Es que me duele un poco la cabeza.

◆ Por supuesto, bája_____ .

4. ◆ ¿Puedo coger tus llaves?

◆ Claro, claro. Cóge_____ .

5. ◆ ¿Puedo llevarme estos discos para escucharlos en casa?

◆ Sí, sí. Llévate_____ .

6. ◆ ¿Puedo apagar la radio? Es que tengo que estudiar.

◆ Sí, sí, claro. Apága_____ .

8. 🔊55 G Vas a escuchar ocho oraciones. Marca a qué persona gramatical se refiere cada una.

	1	2	3	4	5	6	7	8
(yo)								
(tú)								
(él, ella, usted)								
(nosotros/as)								
(vosotros/as)								
(ellos/as, ustedes)								

9. a. V Marca el final más lógico.

1. Los niños se han dormido en el coche porque…
- **a.** han jugado mucho en el parque y están cansados.
- **b.** han jugado mucho en el parque y están contentos.

2. Clara está preocupada porque…
- **a.** su marido ha encontrado trabajo.
- **b.** su marido no se encuentra bien.

3. Bárbara no ha venido a clase de francés porque…
- **a.** le gusta bailar.
- **b.** ha ido al médico.

4. José Enrique está muy contento porque…
- **a.** se ha comprado un piso.
- **b.** ha perdido las llaves.

5. Claudia se ha despertado asustada porque…
- **a.** esta tarde ha visto una película de miedo.
- **b.** esta tarde ha escrito una historia muy divertida.

6. Estoy muy nerviosa porque…
- **a.** he tenido un accidente con el coche.
- **b.** he leído una novela muy interesante.

7. Luis y Matilde han hecho una cena especial porque…
- **a.** han invitado a unos amigos.
- **b.** unos amigos les han invitado.

8. Marisa está triste porque…
- **a.** le han puesto un examen el día de su cumpleaños.
- **b.** ha salido con sus amigos y se ha reído mucho.

b. G Lee otra vez las oraciones anteriores y escribe las formas verbales en pretérito perfecto que encuentres en la columna correspondiente.

PRETÉRITO PERFECTO			
-ar	-er	-ir	con participio irregular
		han dormido	

10. G Completa esta lista utilizando el pretérito perfecto.

1. Algo que has hecho hoy en clase de español: _He hablado con mis compañeros de clase._

2. Algo que todavía no has hecho y quieres hacer: _Todavía no he_

3. Algo que has regalado a alguien este año:

4. Algo que ya has hecho esta semana:

11. a. G ¿Conoces a estos personajes? Escribe lo que ha hecho cada uno, siguiendo el modelo.

Gabriel García Márquez

Fernando Alonso

Alejandro Sanz

Margarita Salas

Chus Lago

- ser campeón mundial de Fórmula 1
- ganar el premio Nobel de la Paz
- publicar más de doscientos trabajos científicos
- vender más de veinte millones de discos en todo el mundo
- ganar el premio Nobel de Literatura
- ~~subir el Everest sin ayuda de oxígeno~~

Rigoberta Menchú

- Chus Lago → Ha subido el Everest sin ayuda de oxígeno.
- Gabriel García Márquez → _____
- Alejandro Sanz → _____
- Fernando Alonso → _____
- Margarita Salas → _____
- Rigoberta Menchú → _____

b. 📖 Cs Lee este texto sobre un español famoso. ¿Sabes de quién se trata? Marca la opción correcta.

> Es español y baila flamenco. Ha actuado en países de todo el mundo, en lugares tan importantes como el Metropolitan Opera House de Nueva York. Ha creado su propia compañía de baile y ahora viaja por todo el mundo con sus espectáculos. Ha participado en varias películas, como *La flor de mi secreto*, de Pedro Almodóvar, o *Flamenco*, de Carlos Saura.

☐ Joaquín Cortés

☐ Plácido Domingo

☐ Paco de Lucía

c. ◁ Cs Escribe en tu cuaderno un texto similar al anterior sobre un personaje español o hispanoamericano famoso de la actualidad sin decir su nombre. Intercámbialo con un compañero de clase. ¿Sabe de quién se trata?

12. G Subraya la opción correcta.

1. ◆ Mi coche no funciona. ¿Me dejas el tuyo?
   ◆ No, lo siento. No **a ti lo/lo te/te lo** puedo dejar. Es que esta tarde tengo que ir a hacer la compra.

2. ◆ Necesito un momento el diccionario. ¿**Me lo/lo me/a mí lo** dejas, por favor?
   ◆ Sí, yo no lo necesito.

3. ◆ Perdone, en nuestra habitación no hay toallas.
   ◆ Ahora mismo **les las/los las/se las** suben.

4. ◆ Disculpe, no tenemos pan.
   ◆ ¡Ah! Perdón. Ahora **les lo/se lo/a ustedes lo** traigo.

---

13. a. 🔊 56 [P] Escucha y escribe el número de cada oración junto al tipo de entonación correspondiente.

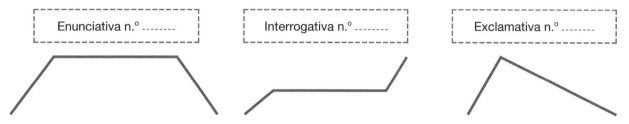

Enunciativa n.° ....

Interrogativa n.° ....

Exclamativa n.° ....

b. 🔊 57 [P] Escucha y marca la opción correcta. Fíjate en la entonación.

1. a. ¡No estás nerviosa!
   b. ¿No estás nerviosa?
   c. No estás nerviosa.

2. a. ¡Habéis estado en Australia!
   b. ¿Habéis estado en Australia?
   c. Habéis estado en Australia.

3. a. ¡Nunca ha montado en avión!
   b. ¿Nunca ha montado en avión?
   c. Nunca ha montado en avión.

4. a. ¡Se ha casado cinco veces!
   b. ¿Se ha casado cinco veces?
   c. Se ha casado cinco veces.

5. a. ¡Han roto el aparato de música!
   b. ¿Han roto el aparato de música?
   c. Han roto el aparato de música.

6. a. ¡Estáis muy cansados!
   b. ¿Estáis muy cansados?
   c. Estáis muy cansados.

c. 🔊 58 [O] Escucha y escribe los signos de puntuación correspondientes.

1. Sabe cocinar
2. No tienes sentido del humor
3. Han suspendido el examen
4. Es un chico muy tímido
5. Es muy simpático
6. Nunca has probado la comida japonesa
7. Todavía no habéis llamado a Julia
8. Son muy desordenados

14. 🔊 59 [P] Escucha y repite.

1. toalla
2. yate
3. medalla
4. yogur
5. paella
6. mayonesa
7. calle
8. apellido
9. mayúscula
10. ayuda
11. castillo
12. lleno

y

ll

Pronunciación de *y* y *ll*
En muchas zonas de España y de América las letras *y* y *ll* se pronuncian igual, como *y*. Este fenómeno, aceptado en la norma culta, se conoce como **yeísmo**.

Ahora ya puedo...

	☺	😐	☹
■ hablar del carácter de una persona			
■ hablar de las habilidades y aptitudes de alguien			
■ pedir y ofrecer ayuda			
■ pedir y aceptar disculpas			
■ hablar de experiencias recientes			
■ hablar de experiencias vividas a lo largo de la vida			
■ decir cómo me siento			

Autoevaluación

1.

60 **Escucha esta conversación entre dos amigas y marca la opción correcta.**

1. Emilia ha empezado…
   a. a ir al gimnasio.
   b. a aprender a nadar.
   c. a trabajar.

2. Emilia va al gimnasio…
   a. todos los días después de salir del trabajo.
   b. dos días a la semana, de ocho a nueve de la noche.
   c. dos días a la semana, de ocho a nueve de la mañana.

3. Emilia ha aprendido…
   a. a nadar.
   b. a hacer ejercicios de relajación.
   c. a utilizar aparatos de gimnasia.

4. A Marga le interesan las clases de natación…
   a. porque no sabe nadar.
   b. porque tiene problemas de espalda.
   c. porque quiere mejorar su estilo.

2.

En la columna de la izquierda hay diez oraciones con una palabra destacada que no es correcta. Busca la opción correcta en la columna de la derecha y sustitúyela.

1. ¿Has estado **nunca** en algún país de África?   *alguna vez*
2. No tires el periódico, que **ya** no lo he leído.
3. He conocido al hermano de Elena. **Tiene** muy simpático.
4. Lo siento, no **quiero** ayudarte ahora; pero si esperas cinco minutos, te ayudo.
5. Carlos **es** mucho miedo porque ha visto una película de terror.
6. ¿**Quiero** ayudarme a preparar la cena, por favor?
7. **Alguna vez no** he hecho *puenting*.
8. Sí, a Laura **se** he visto esta mañana en la biblioteca.
9. **Es** preocupada porque ha suspendido el examen.
10. ¿Las maletas? Sí, ya **le** las he entregado a los señores Rojo.

a. es
b. está
c. todavía
d. tiene
e. puedes
f. nunca
g. puedo
h. se
i. ~~alguna vez~~
j. la

Los mejores años
de nuestra vida

En esta unidad vas a practicar:

■ Dar información sobre hechos del pasado:	1, 2, 3, 10
■ *Seguir* + gerundio, *empezar a* + infinitivo, *acabar de* + infinitivo, *volver a* + infinitivo:	4, 5
■ El pretérito indefinido: verbos regulares e irregulares:	6, 7
■ Valorar hechos pasados:	8, 9
■ La pronunciación de la 3.ª persona del pretérito indefinido de los verbos terminados en *-ar*:	11
■ El uso de los dos puntos y los puntos suspensivos:	12

1. a. [G] Todas estas personas vivieron en el siglo XX. ¿Sabes por qué son famosas? Escribe oraciones con un elemento de cada columna, siguiendo el modelo.

■ Pablo Neruda	ser	el primer hombre en pisar la Luna: el 20 de julio de 1969.
■ Marie Curie	descubrir	el premio Nobel de Literatura en 1971.
■ Walt Disney	ganar	las primeras minifaldas en los años 60.
■ Emiliano Zapata	escribir	muchas novelas policiacas y de intriga.
■ Mary Quant	diseñar	el radio, el único tratamiento para el cáncer durante mucho tiempo.
■ Pablo Picasso	ganar	en 1973, durante el golpe militar de Augusto Pinochet en Chile.
■ Neil Armstrong	crear	el *Guernica* en 1937.
■ Salvador Allende	morir	el personaje de Mickey Mouse en 1928.
■ Pedro Almodóvar	participar	en la Revolución Mexicana de 1911.
■ Agatha Christie	pintar	un Oscar en 2000 por *Todo sobre mi madre* y otro en 2003 por *Hable con ella*.

Pablo Neruda ganó el premio Nobel de Literatura en 1971.

---

b. [Cs] Piensa en otro personaje del siglo XX y escribe algunas oraciones sobre él en tu cuaderno, sin mencionar su nombre. Luego, cuéntaselo a tus compañeros. ¿Saben de quién se trata?

2. [V] Completa los pies de foto con estas palabras.

Guerra Civil	golpe de Estado	democracia	dictadura	Revolución

Asalto al Congreso de los Diputados durante el intento de _____ _____ del teniente coronel Tejero, el 23 de febrero de 1981 en España.

Soldados portugueses durante la llamada _____ de los claveles, en 1974.

Proclamación de Juan Carlos I como rey de España, en 1975, tras el fin de la _____ del general Franco y la vuelta de la _____.

Ruinas de Guernica, bombardeada durante la _____ española.

3. a. 📖 ¿Sabes cómo se conocieron los Reyes de España? Lee este texto para descubrirlo y marca si estas afirmaciones son verdaderas (V) o falsas (F).

	V	F
1. Don Juan Carlos y doña Sofía se conocieron durante los Juegos Olímpicos de 1960.	☐	☐
2. En el crucero que organizó la reina Federica de Grecia en 1954, doña Sofía le afeitó el bigote a don Juan Carlos.	☐	☐
3. En 1961 volvieron a coincidir en la boda de los duques de Kent y compartieron muchos momentos: fueron al cine, bailaron…	☐	☐
4. Don Juan Carlos le preguntó a doña Sofía: «¿Quieres casarte conmigo?», durante un encuentro en Suiza.	☐	☐
5. El compromiso oficial se anunció en 1961.	☐	☐
6. Se casaron en Madrid un año después, en 1962.	☐	☐

Parejas reales: don Juan Carlos y doña Sofía

En el verano de 1954, la reina Federica de Grecia organizó un crucero a bordo del yate *Agamenón* para que ciento diez jóvenes, miembros de las casas reales europeas, pudieran conocerse. En ese barco se vieron por primera vez la princesa Sofía de Grecia, de quince años, y Juan Carlos de Borbón, de dieciséis.

La pareja real volvió a coincidir durante las pruebas de vela de la Olimpiada de 1960. Los reyes de Grecia organizaron una cena en su barco, *Polemistis*, atracado en el puerto de Nápoles. Doña Sofía resumiría aquel encuentro, muchos años después, para la periodista Pilar Urbano de la siguiente manera: «Con don Juan y doña María, vino también Juan Carlos. Llevaba bigote. Yo le dije. "No me gustas nada con ese horrible bigote." "Ah, ¿no?, pues ahora no sé cómo lo voy a poder arreglar." "¿No sabes cómo? Yo sí sé cómo. Ven conmigo." Lo llevé al cuarto de baño del barco. Le hice sentarse. Le puse una toalla por encima, como en las barberías. Cogí una maquinilla, le levanté la nariz y se lo afeité. Él… se dejó».

Doña Sofía y don Juan Carlos se encontraron de nuevo en la boda de los duques de Kent, el 8 de junio de 1961. Fueron al cine con el príncipe Constantino, asistieron y fueron pareja en el baile posterior a la cere- monia nupcial. «Fue en la boda de los duques de Kent donde por una vez el protocolo hizo bien las cosas, pues me asignó a Juan Carlos por caballero acompañante», diría años después la Reina. Ese mismo año, los reyes de Grecia se reunieron con los condes de Barcelona y sus hijos en Suiza, durante una visita oficial a ese país. «El Rey –lo ha dicho doña Sofía en numerosas ocasiones– jamás usó la pregunta: "¿Quieres casarte conmigo?", pero sí la sorprendió lanzando una caja al aire con un "¡Sofi, cógelo!" Yo, en ese momento, no le regalé nada. No me lo esperaba y no tenía nada preparado…»

«¿Recuerdas –dijo mirando a don Juan Carlos ante otros testigos– que, en Suiza, en casa de tu abuela, después de comer, entraste tú, me pusiste la pulsera y me dijiste: "Nos casamos, ¿eh?".» En 1961 se hizo público el compromiso y al año siguiente don Juan Carlos y doña Sofía se casaron en Atenas.

b. 🔊 Piensa en una pareja famosa y escribe algunas oraciones en tu cuaderno sobre cómo se conocieron. Puedes contestar a estas preguntas, por ejemplo. Luego, intercambia lo que has escrito con un compañero. ¿Sabe de qué pareja se trata?

- ¿Cuándo y dónde se conocieron?
- ¿Se casaron? ¿Tuvieron hijos?
- ¿Estuvieron juntos toda su vida?
- ¿Cómo fue: les presentó alguien, coincidieron en algún lugar…?
- ¿Se divorciaron?
- ¿Se volvieron a casar después?

4. [V] Completa estas oraciones con las preposiciones *a* o *de*, donde sea necesario.

1. Terminé .... redactar el informe poco antes de la reunión.

2. ¿Cuándo empezaste .... trabajar en esta empresa?

3. Mi hija empezó .... ir a la piscina a los diez meses.

4. Yo empecé .... jugar al tenis a los quince años y seguí .... jugando hasta los veinticinco.

5. Creo que Vicente volvió .... trabajar como profesor cuando terminó .... redactar su tesis doctoral.

6. Mis abuelos compraron esta casa cuando se casaron y siguieron .... viviendo en ella toda su vida.

7. Mi tía tuvo un accidente de coche muy grave y después nunca volvió .... conducir.

8. Luis y Brigitte se divorciaron. Los dos volvieron .... casarse con otras personas, pero siguieron .... siendo muy buenos amigos.

5. [G] Completa los diálogos con la forma correspondiente de estas perífrasis:
empezar a + infinitivo, *acabar de* + infinitivo, *seguir* + gerundio o *volver a* + infinitivo.

1. ◆ Este año Carmen .... estudiar y ahora no sabe qué hacer: trabajar, hacer un máster…

   ◆ Yo creo que debe .... trabajar, es importante tener experiencia.

2. ◆ Y tú, María José, ¿dónde conociste a Pedro?

   ◆ En un curso de inglés que hice un verano. En septiembre .... salir y dos años después nos casamos.

3. ◆ Miguel, Isabel y tú os conocisteis en un viaje, ¿no?

   ◆ Sí, en un viaje a Costa Rica. En el avión nos sentaron al lado. Estuvimos saliendo durante dos años, de esto hace ya casi diez años… Y .... viviendo juntos.

4. ◆ ¿Ya tienes el carné de conducir?

   ◆ No, todavía no. .... recibir clases prácticas hace un mes, pero .... practicando. Creo que me examino el mes que viene.

5. ◆ ¿Sabes algo de Sol, Clara?

   ◆ Sí. Ya sabes que se separó de Rafael, ¿verdad?

   ◆ Sí, hace tres años, creo.

   ◆ Pues lo último que sé de ella es que conoció a otro chico y .... casarse hace un año.

6. ◆ ¿Ya .... usar el ordenador?

   ◆ No, todavía no. Voy a .... trabajando un rato más. Te aviso cuando termine.

6. [E] En algunos verbos, la forma correspondiente a *nosotros/as* es igual en presente de indicativo y en pretérito indefinido. Lee estos ejemplos, fíjate en el contexto y anota si se refieren al presente o al pasado.

1. a. A Cristina el día de su cumpleaños le **regalamos** unas flores que le encantaron. → _Pasado_

   b. ¿Por qué no le **regalamos** unas flores a tu madre? Le gustan mucho. → _Presente_

2. a. Ayer **salimos** muy tarde del médico y llegamos a casa a las ocho y media. → ....

   b. Normalmente **salimos** de casa a las ocho y llegamos al colegio sobre las ocho y media. → ....

3. a. Ahora **vivimos** aquí, en Madrid, a las afueras, en un barrio tranquilo. → ....

   b. **Vivimos** tres años en París, en el centro, en un barrio muy bueno. → ....

4. a. Hace un par de días **escribimos** un texto sobre Dalí, el pintor español. → ....

   b. En clase siempre **escribimos** y leemos textos en español. → ....

5. a. En este restaurante siempre **cenamos** muy bien. → ....

   b. **Cenamos** muy bien en el restaurante que nos recomendaste. → ....

6. a. **Llamamos** a Juan y a Cristina y los invitamos a cenar, ¿vale? → ....

   b. Al final, el sábado no **llamamos** a Carlos, así que nos quedamos en casa. → ....

7. G Completa la tabla con las formas correspondientes al pretérito indefinido de estos verbos irregulares.

	HACER	VENIR	QUERER	ESTAR	PODER	PONER	IR/SER
(yo)				estuve			fui
(tú)	hiciste					pusiste	
(él, ella, usted)		vino					
(nosotros/as)					pudimos		
(vosotros/as)							
(ellos/as, ustedes)			quisieron				

8. a. 61 Varias personas hablan de cosas que han hecho. Escucha las conversaciones y señala si lo que hicieron les gustó o no.

1.   2.   3.   4.

b. C Lee las conversaciones que has escuchado y complétalas con las palabras y frases del cuadro (una de ellas se repite cuatro veces). No olvides poner mayúsculas donde sea necesario.

> fue una comida estupenda   no me gustó mucho   ¿Y qué tal?
> inolvidable   regular   fue un viaje horrible

1. ◆ A mí, este verano, me gustaría ir a Laponia.
   ◆ ¿A Laponia? María estuvo hace unos años.
   ◆ --------------------
   ◆ Fatal. Según me contó, ---------------------------------: muy mal organizado.

2. ◆ Y vosotros, Lola, ¿dónde fuisteis de viaje de novios?
   ◆ Fuimos a Kenia.
   ◆ ¡A Kenia! ----------------------
   ◆ Maravilloso. Fue un viaje ----------------------

3. ◆ El domingo estuvimos comiendo en Casa Vallecas.
   ◆ ----------------------
   ◆ Muy bien. ------------------------. Nos encantó.

4. ◆ ¿Has visto la exposición de la Fundación Arte?
   ◆ Sí, estuve hace un par de fines de semana.
   ◆ ----------------------
   ◆ Uf, ---------------------- Algunos cuadros me encantaron, pero, en general, -----------------------------.

c. 61 Escucha de nuevo y comprueba.

9. a. G ¿Recuerdas qué hiciste en estos momentos del pasado? Elige tres expresiones y anota qué hiciste.

> el verano pasado   en Navidades   el fin de semana pasado   ayer por la tarde
> el día de tu cumpleaños   en Nochevieja   el primer día del curso

b. C Lee lo que ha escrito tu compañero y pregúntale más cosas sobre alguno de esos momentos. Después, cuéntaselo al resto de la clase y haz una valoración. ¿Tu compañero está de acuerdo con la valoración que has hecho?

10. 📖 Aquí tienes un fragmento de la conversación que varios lectores han mantenido con un famoso futbolista en el *chat* de un periódico deportivo. Lee las respuestas y escribe las preguntas en el lugar correcto.

Preguntas de los lectores:

- ¿Qué partido recuerdas especialmente?
- ¿Cuándo fue la primera vez que jugaste con una pelota?
- ¿Cuál es el gol que más te emocionó marcar?
- ¿Cuánto tiempo estuviste jugando en Inglaterra?
- ¿Cuánto tiempo estuviste sin jugar el año pasado?
- ¿Desde cuándo eres capitán de la selección?
  ¿Te asusta la responsabilidad del cargo?
- ¿En qué año debutaste con el primer equipo del Fútbol Club?

-Conversación

Archivo   Edición   Acciones   Herramientas   Ayuda

Para:

CHAT el deportivo.com

P. _____

R. A los dos años, mi abuelo me regaló mi primer balón. Un balón de reglamento, grandísimo y muy duro. Recuerdo que un día me hice mucho daño cuando quise darle una patada… Desde entonces todos mis recuerdos están unidos al fútbol.

P. _____

R. Hay dos goles especiales para mí. Uno, el gol que metí el día que jugué mi primer partido como titular del Fútbol Club, y otro, el gol que metí el día que nació mi hijo Gabriel, casi en el mismo momento.

P. _____

R. Desde hace cinco años. Y no, no me asusta la responsabilidad. La verdad es que todos los jugadores nos conocemos muy bien desde hace años, muchos jugamos juntos y hay un ambiente estupendo.

P. _____

R. El partido en que gané mi primera Copa de Europa.

P. _____

R. Ocho meses. Cuando volví a jugar, sentí… Es curioso, creo que sentí un poco de miedo. Fueron ocho meses duros, tuve muchos dolores y la recuperación fue lenta… Ahora, afortunadamente, estoy en plena forma.

P. _____

R. En 1996, con 17 años. Fue un sueño.

P. _____

R. Estuve una temporada. Fue una gran experiencia para mí.

11. a. 62 P Escucha y repite. Fíjate bien en cómo se pronuncian los verbos destacados.

1. **Llego** todos los días al trabajo sobre las ocho./Mi marido **llegó** ayer a casa a las nueve de la noche.

2. **Hablo** un poco de portugués./El otro día Miguel **habló** con su jefe.

3. Ana, mira, te **presento** a Cati, mi hermana./El sábado Cristina nos **presentó** a su novio.

4. Normalmente **ceno** muy poco: una ensalada y fruta./Ayer mi hija **cenó** mucho y luego no durmió bien.

5. A mi madre siempre le **llevo** unas flores./Marisa fue a ver a su tía y le **llevó** unas flores.

6. Ahora trabajo por la mañana y **estudio** por la tarde./Hugo **estudió** dos años en Londres.

b. 62 P Escucha de nuevo y subraya la sílaba tónica de los verbos destacados en el apartado anterior.

c. P Ahora, lee la regla y rodea con un círculo la opción correcta.

Pronunciación del pretérito indefinido
En los verbos regulares terminados en *-ar/-er/-ir*, la forma correspondiente a la **primera/segunda/tercera** persona del singular del pretérito indefinido se escribe igual que la forma de la **primera/segunda/tercera** persona del presente de indicativo, pero cambia el acento. En el presente, la sílaba tónica es la **penúltima/última**, pero en el pretérito indefinido es la **penúltima/última** y se escribe tilde.

12. O Lee las reglas de uso de los dos puntos y de los puntos suspensivos y complétala con el número de los ejemplos correspondientes.

Los signos de puntuación
Se escriben **dos puntos**:
▪ antes de una enumeración. Ejemplo n.º : _____
▪ después del saludo, en el encabezamiento de cartas y documentos. Ejemplo n.º : _____
Se escriben **puntos suspensivos**:
▪ al final de una enumeración abierta (equivale a *etcétera*). Ejemplo n.º : _____
▪ para indicar que hacemos una pausa con la que expresamos duda, sorpresa, miedo, etc. Ejemplos n.ºˢ : _____ y _____

1. Hay que hacer bastantes cosas: pasar por la tintorería, recoger el coche del taller e ir al supermercado.

2. En Toledo vimos la catedral, la sinagoga del Tránsito, Santo Tomé, la Casa-Museo de El Greco…

3. Llegó tarde a la reunión y vino… en zapatillas.

4. No sé… Podemos preparar una ensalada, y luego, embutidos y quesos, por ejemplo.

5. Querida Carmen: ¿Qué tal estás? Hace mucho que no te escribo.

Ahora ya puedo…

	☺	😐	☹
▪ dar y pedir información sobre hechos y acontecimientos pasados			
▪ valorar acciones y hechos pasados			
▪ hablar de los momentos más importantes de la vida de una persona			
▪ pedir que alguien repita un dato para asegurarme de que lo he entendido bien			
▪ repetir una información cuando alguien no me ha entendido			

Autoevaluación

1.

Lee este texto y subraya la opción correcta.

ANTHONY QUINN

Antonio Quinn (1)_____ en México el 21 de abril de 1915. (2)_____ junto a sus padres a los Estados Unidos. A este actor no le faltó valor para acercarse a Hollywood, aunque la industria del cine estadounidense no era particularmente receptiva a los actores de origen hispano. Antes de conseguir los primeros papeles, (3)_____ como taxista, boxeador y camionero. (4)_____ su nombre por el de Anthony y empezó (5)_____ actuar como extra en varias películas. (6)_____ en *La vía láctea* y en *Buffalo Bill*, película dirigida por Cecil B. De Mille, el director que encaminó definitivamente la carrera estadounidense del joven mexicano. A estas películas siguieron otras tan conocidas como *Murieron con las botas puestas*, de Raoul Walsh; *¡Viva Zapata!*, de Elia Kazan; *La Strada*, de Federico Fellini; *El loco del pelo rojo*, de Minnelli; *Los cañones de Navarone*, de Jack Lee Thompson; y *Zorba el griego*, de Michael Cacoyannis.

Interpretó personajes mexicanos en *¡Viva Zapata!* o *Los hijos de Sánchez*, entre otras. (7)_____ a España para interpretar el papel de Auda Abu Tayi en *Lawrence de Arabia*. En 1982, Quinn se (8)_____ nuevamente a España para filmar *Valentina*, de Antonio Betancor, hermosa adaptación de la primera etapa de *Crónica del alba*, de Ramón J. Sender. Vivió entre Italia y Estados Unidos, pero (9)_____ participando con la cinematografía hispana: actuó junto a la española Aitana Sánchez Gijón en *Un paseo por las nubes*, del mexicano Alfonso Arau, y dio vida a un asombroso personaje en la teleserie *El camino de Santiago*, una producción de José López Rodero realizada a partir de un argumento del novelista Arturo Pérez Reverte.

En abril de 2000, el mexicano Anthony Quinn fue nombrado Hijo Predilecto de Chihuaha y Chihuahuense distinguido. A este acto le (10)_____ su esposa Katherine y dos de sus hijos. El actor encontró ese día un pretexto feliz para interrogarse acerca de sus raíces y proclamar su orgullo de estirpe, ya que es hijo de un mexicano, Francisco Quinn, y una mexicana, Manuela Oaxaca, que formó parte de las filas de Pancho Villa, alistada en la División del Norte durante la Revolución.

Quinn murió el 3 de junio de 2001, en Boston.

(Fuente: Guzmán M. Urrero Peña. Centro Virtual Cervantes. *Cinematografías de la semejanza.* http://cvc.cervantes.es/actcult/cine)

1.	nació	vivió	estuvo
2.	Vivió	Estuvo	Emigró
3.	trabajó	hizo	actuó
4.	Ha cambiado	Cambió	Trasladó
5.	en	a	por
6.	Seguí	Hizo	Participó
7.	Viajo	Viajó	Estuvo
8.	traslado	trasladó	estuvo
9.	siguió	dejó de	empezó a
10.	estuvieron	fueron	acompañaron

2.

 Escucha estos diálogos y marca la opción correcta.

1. Juana cree que la celebración fue...
   a. original
   b. muy especial
   c. divertida

2. A María y a Julián, Praga les pareció una ciudad...
   a. aburrida
   b. tranquila
   c. muy bonita

3. El fin de semana de Rosa fue...
   a. aburrido
   b. especial
   c. interesante

4. La reunión fue...
   a. fácil
   b. interesante
   c. difícil y larga

¿Hoy como ayer? 11

En esta unidad vas a practicar:

■ Los indefinidos:	1, 2
■ Expresar la frecuencia:	3
■ *Soler* + infinitivo:	3
■ Referirte a acciones habituales en el pasado:	3, 4
■ El pretérito imperfecto de indicativo:	3, 4, 5, 6, 7
■ El pretérito indefinido:	6
■ Comparar el pasado y el presente:	8, 9
■ Expresar la causa y la consecuencia:	9
■ La pronunciación de la letra *ch*:	10
■ Cuándo se escribe o no tilde en palabras con la misma forma:	11

1. [G] **Subraya la forma correcta del indefinido.**

    1. ◆ ¿**Alguien/Algo** ha visto **algo/alguna** película de Almodóvar?

      ◆ Yo he visto una, *Hable con ella*. Me gustó mucho.

    2. ◆ ¿Te apetece comer **algo/alguno**? Hay tortilla, empanada, queso…

      ◆ No, gracias, no me apetece **algo/nada**.

    3. ◆ Esta sala de cine está vacía… No hay **algo/nadie**… ¿Tú crees que la película está bien?

      ◆ No lo sé, pero lo vamos a ver enseguida…

    4. ◆ ¿Tienes **algún/alguno** disco de Alaska? Como tienes una colección tan buena…

      ◆ Creo que tengo **algunos/ninguno**, mañana te los traigo.

2. [G] **Completa estas oraciones. Ten en cuenta que a veces hay dos posibilidades.**

Ø
no
nada
nadie
nunca

    1. No me apetece mucho ir a esa fiesta porque _____ conozco a _____ .

    2. _____ he estado _____ en Toledo. ¿Es una ciudad bonita?

    3. Mi hija está en esa edad difícil en la que piensa que _____ la comprende.

    4. _____ entiendo _____; he hecho un trabajo estupendo y mi jefe me ha pedido que lo repita.

    5. _____ veo _____ . ¿Puedes dar la luz, por favor?

    6. _____ voy al teatro, pero este fin de semana voy a ver una obra que me han recomendado.

3. a. [G] **Piensa qué solías hacer cuando eras más joven y completa estas listas.**

Tres cosas que solías hacer durante las vacaciones:

    Solía _____

_____

_____

_____

_____

Tres cosas que hacías a veces y ya no haces:

    Antes solía _____

_____

_____

_____

_____

Tres cosas que no hacías nunca y ahora haces a veces:

    Antes nunca _____

_____

_____

_____

_____

Tres cosas que hacías siempre los fines de semana:

    Los fines de semana siempre _____

_____

_____

_____

_____

b. [C] **Ahora, intercambia tus listas con las de tu compañero. ¿En qué se diferencian o se parecen? ¿Hay algo que te ha sorprendido? Comentadlo.**

4. G Lee esta carta que Anabel le envía a su amiga Sara y complétala con las formas correspondientes del pretérito imperfecto de los verbos que hay entre paréntesis.
Ten en cuenta que en cada raya debe ir una letra.

> Hola, Sara:
>
> ¿Cómo estás? ¿Preparada para ir a estudiar la carrera a Granada? Es genial… vas a ver. Seguro que será una gran experiencia.
>
> Cuando (ESTUDIAR, yo) e s t u d i a b a allí, (COMPARTIR, yo) _ _ _ _ _ _ _ _ _ _ piso con otras tres amigas. Es lo mejor, te lo recomiendo. (IR, nosotras) _ _ _ _ _ _ a clase juntas, (ESTUDIAR, nosotras) _ _ _ _ _ _ _ _ _ _ _ _ _ en la biblioteca… (HACER, nosotras) _ _ _ _ _ _ _ _ la comida y la compra, (LIMPIAR, nosotras) _ _ _ _ _ _ _ _ _ _ _ la casa entre todas pero también (DIVERTIRSE, nosotras) _ _ _ _ _ _ _ _ _ _ _ _ _ mucho. A menudo nos (VISITAR) _ _ _ _ _ _ _ _ _ _ muchos amigos y les (ENCANTAR) _ _ _ _ _ _ _ _ _ la ciudad. La verdad es que tengo muy buen recuerdo de aquella época… Espero que tú también te lo pases muy bien, ya me contarás.
>
> Un beso,
>
> Anabel

5. a. G Completa estas oraciones con la forma correspondiente del pretérito imperfecto, en tercera persona singular o plural.

- (SER) ....Era........ verano.
- (ESTAR) .... contento.
- (IR) .... a la playa.
- (HABER) .... parejas enamoradas paseando por la orilla.

- Los niños (JUGAR) .... en la arena.
- La gente (TOMAR) .... el sol.
- (HACER) .... muy buen tiempo.
- (SER) .... un día precioso.

b. G Ahora, lee esta historia sobre cómo se conocieron José Antonio y Carmen y complétala con algunas de las circunstancias del apartado anterior. También puedes inventarte otras.

Entonces la **vi** y **me enamoré** locamente de ella.

Un año después **nos fuimos** a vivir juntos a Madrid.

Ahora vivimos en Santander y tenemos dos niños preciosos.

6. a. [G] Conjuga los verbos de este artículo sobre el director de cine Pedro Almodóvar. Tienes que poner en pretérito indefinido los que están subrayados y en pretérito imperfecto el resto.

VOLVER

Cualquier estreno de Pedro Almodóvar (Calzada de Calatrava, Ciudad Real, 1951) es un acontecimiento cultural y social que supera lo meramente cinematográfico.

Con *Volver*, su nueva película, el hecho se acentúa, puesto que la mayoría de sus espectadores la considera como una de sus mejores películas.

«Hay un momento, entre los 40 y los 50 años, en que uno se detiene», explica Pedro Almodóvar. «Mira adelante y hacia atrás. A mí, este momento me ha llegado en la cincuentena. He vuelto la mirada hacia atrás, hacia mi infancia, y hacia delante, sobre el tiempo que me queda hasta la muerte. El resultado de ambas miradas son mis dos últimas películas. En las dos, de un modo u otro, recuerdo los primeros años de mi vida. Si eres narrador, la infancia es el primer tema al que uno suele recurrir. A mí nunca me tentó. No me (**GUSTAR**) -------------- mi infancia y no (**TENER**) -------------- interés en recordarla, y mucho menos en contarla. Hasta hace tres o cuatro años. Resultado de ello fue *La mala educación*. Y con mi nueva película he vuelto a los paisajes donde (**VIVIR**) -------------- los primeros años de mi vida: La Mancha».

Como en la mayoría de sus películas, hay una evidente fascinación por el mundo femenino y un tributo a su tenacidad y capacidad de lucha. Sobre ello explica el realizador: «(**CRIARSE**) -------------- entre mujeres: mis dos hermanas, mayores que yo, mi madre, mis tías, las vecinas, mi abuela… El universo femenino (**SER**) -------------- algo muy activo y muy barroco que (**DESARROLLARSE**) -------------- ante mis ojos de niño y nadie (**PENSAR**) -------------- que, a pesar de mi corta edad, yo (**VER**) -------------- y (**OÍR**) -------------- y que inconscientemente ya estaba tomando notas. A los hombres los recuerdo lejanos. Nunca (**ESTAR**) -------------- en casa, y el tiempo que no (**TRABAJAR**) -------------- lo (**PASAR**) -------------- en los bares. Además, los hombres (**REPRESENTAR**) -------------- la autoridad, y yo (**ALEJARSE**) -------------- instintivamente de ellos. Las mujeres, sin embargo, (**SER**) -------------- la vida y a la vez la ficción. Las (**ESCUCHAR**) -------------- contar historias alucinantes en el patio mientras (**CO-**

SER) --------------. Las (**OÍR**) -------------- cantar mientras (**LAVAR**) -------------- o (**TENDER**) -------------- la ropa en el río. Mi madre me llevaba con ella al río, y aquello para mí (**SER**) -------------- una fiesta. Este universo de madres, hijas y vecinas protagoniza *Volver*. Sus relaciones y su relación con la muerte son las bases de la trama».

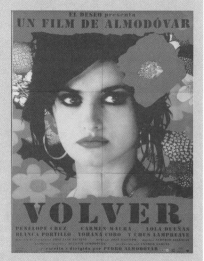

b. [📖] Lee de nuevo el texto y responde a estas preguntas.

1. ¿Qué imagen tenía Almodóvar de las mujeres cuando era niño? ¿Positiva o negativa?

----

2. ¿Y de los hombres?

----

3. ¿Qué temas trata en la película *Volver*?

----

c. [📖] [V] Busca en el primer párrafo dos expresiones con las que Almodóvar se refiere a su época de niño.

1. --   **2.** --

7. a. 🔘 El cantante Alejandro Panza tiene una larga trayectoria musical y ha pasado por varias etapas. Escucha la entrevista que le hacen y ordena estos dibujos cronológicamente.

n.º ....   n.º ....   n.º ....

b. 🔘 Escucha de nuevo la entrevista y relaciona un elemento de cada columna.

... vestía siempre de negro.

■ En la primera época...   ... llevaba ropa de colores.

... tocaba la guitarra.

... cantaba en español.

■ En la segunda...   ... hacía música con letras divertidas.

... cantaba en inglés.

... llevaba el pelo corto.

■ Actualmente...   ... viste de negro.

... llevaba el pelo largo.

c. Estás en un *chat* con tu amiga Sofía hablando de música. Completa las respuestas.

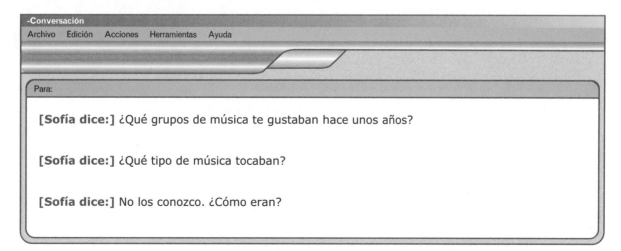

d. C Comenta con tus compañeros qué tipo de música escuchabas cuando eras más joven y qué grupos te gustaban. ¿Conoces a los grupos favoritos de tus compañeros? ¿Os gustaba el mismo tipo de música?

8. a. [G] Piensa en cómo eras hace diez años y toma notas. Te damos algunas ideas y ejemplos.

Tu aspecto físico:
Tenía el pelo largo.

Tu carácter:
Era muy tímida.

Tus gustos y aficiones:
Hacía mucho deporte.

Tu rutina y tus costumbres:
Salía todos los fines de semana con mis amigos.

Tus planes y tus sueños:
De mayor quería ser periodista.

b. Ordena las ideas que has anotado y escribe un texto explicando cómo eras y si has cambiado mucho. Puedes usar los recursos del cuadro.

Antes tenía/era/llevaba/estaba…   Ahora (no) tengo tan/tanto(s)/tanta(s)… como…   Soy/estoy más/menos… que…

9. a. 65 Laura tiene un problema. Escucha lo que le cuenta a su amiga y marca cuáles de estas afirmaciones son correctas.

1. Laura cree que Felipe y ella se van a separar. ☐
2. Laura dice que Felipe piensa demasiado en el trabajo. ☐
3. Los niños necesitan ahora menos cuidados que antes, porque ya son mayores. ☐
4. Laura trabaja más que antes y no tiene casi tiempo para su familia. ☐
5. De jóvenes, pensaban que no iban a cambiar tanto como los demás. ☐
6. Laura está segura de que se van a separar definitivamente. ☐

b. [G] A partir de lo que has escuchado, termina estas oraciones.

1. Laura no está contenta con su relación, **así que** _____
2. Felipe no está tanto en casa como antes **porque** _____
3. Los niños han crecido, **por eso** _____

10. a. ⑥⑥ P Escucha estas palabras y repítelas.

1. cuchara	5. Chile
2. derecha	6. ficha
3. chimenea	7. escuchar
4. chorizo	8. chaqueta

b. P ¿Hay algún sonido parecido al de la letra *ch* en tu idioma o en otros que conozcas? Coméntalo con tus compañeros.

c. P Escribe en tu cuaderno otras palabras que conoces con la letra *ch*. Díctaselas a tu compañero y escribe las que él te dicte.

11. a. O Lee estas oraciones y fíjate en las palabras destacadas en cada una: ¿significan lo mismo? ¿En qué se diferencian? Comentadlo en pequeños grupos.

1. ◆ Esta es Clara, la directora del departamento.
   Y **él** es Jaime, **el** responsable de informática.

2. ◆ ¿**Qué** lenguas hablas?
   ◆ Español, inglés y alemán. Pero la **que** mejor hablo es el inglés.

3. ◆ Me gusta mucho el cine argentino.
   ◆ A **mí** también, **mi** actor preferido es Ricardo Darín.

4. ◆ ¿Vienes?
   ◆ **Si** vas **tú**, **sí**.
   ◆ Vale, vamos en **tu** coche.
   ◆ Bueno.

5. ◆ ¿Y Luis?
   ◆ No lo **sé**… Creo que se ha ido a casa porque no **se** encontraba bien…

b. O Fíjate en los ejemplos anteriores y en el cuadro y escribe la tilde en las palabras que corresponda.

1. **El** hizo la reserva y yo recogí las entradas.

2. ¿**Que** quieres que te regale para **tu** cumpleaños?

3. **Tu** casa es mucho mayor que la mía.

4. No **se** dónde he puesto las llaves.
   ¿Las has visto **tu**?

5. **Si** vas a ir en coche, dímelo, que me voy contigo.

6. **Si**, Juan tiene razón. Estoy completamente de acuerdo con **el**.

La tilde diacrítica

Sirve para distinguir el significado de palabras que tienen la misma forma:

- **el** (artículo definido)/**él** (pronombre personal)
- **que** (relativo)/**qué** (interrogativo o exclamativo)
- **mi** (posesivo)/**mí** (pronombre personal)
- **tu** (posesivo)/**tú** (pronombre personal)
- **si** (conjunción condicional)/**sí** (adverbio afirmativo)
- **se** (pronombre)/**sé** (verbos *saber* o *ser*)

Ahora ya puedo...

	☺	😐	☹
■ dar y pedir información sobre acciones habituales en el pasado			
■ contar hechos pasados			
■ describir personas, lugares y objetos del pasado			
■ comparar el pasado y el presente			
■ expresar la causa y la consecuencia de un hecho			

Autoevaluación

Completa este fragmento del famoso poema *Se equivocó la paloma*, de Rafael Alberti. Tienes que poner en pretérito indefinido los verbos que están subrayados y en pretérito imperfecto el resto.

Se equivocó la paloma

(EQUIVOCARSE, ella) _____ la paloma,

(EQUIVOCARSE, ella) _____ ,

Por ir al norte, (IR, ella) _____ al sur.

(CREER, ella) _____ que el trigo (SER, él) _____ agua.

(EQUIVOCARSE, ella) _____ .

(…)

(Ella (DORMIRSE, ella) _____ en la orilla.

Tú, en la cumbre de una rama.)

ALBERTI, R., *Antología poética*.

RAFAEL ALBERTI (1902-1999)

2.

Completa este texto poniendo los verbos en la forma correspondiente del pretérito imperfecto.

> divertirse   necesitar   ser (*2 veces*)   tener   viajar

Cuando (yo) _____ joven, las cosas _____ muy distintas.

Entonces (nosotros) _____ menos por el mundo, no _____ tanta libertad.

Pero también creo que (nosotros) _____ más porque (nosotros) _____ menos cosas pero sabíamos disfrutarlas.

3.

Marca la opción correcta.

1. Ahora tiene _____ discos _____ tú.
- **a.** tantos/como
- **b.** tan/como
- **c.** tanto/como

2. Este disco es _____ el anterior.
- **a.** más mejor
- **b.** mejor que
- **c.** más que

3. Esta canción es _____ la otra.
- **a.** peor como
- **b.** menos que
- **c.** peor que

4. Estas canciones son _____ bonitas _____ las que compuso en los 70.
- **a.** tan/como
- **b.** tantas/que
- **c.** tantas/como

El mundo del trabajo 1

En esta unidad vas a practicar:

■ Vocabulario relacionado con anuncios de trabajo:	1
■ Dar y pedir información relacionada con los estudios y el trabajo:	2
■ Los tiempos de pasado:	2
■ Dar consejos para realizar una entrevista de trabajo:	3
■ La formación de los adverbios terminados en -mente:	4
■ Cómo se elabora el currículum vítae:	5
■ Cómo se elabora el Pasaporte de lenguas:	6
■ Los pronombres personales átonos:	7, 8
■ La pronunciación y ortografía de las letras m, n y ñ:	9
■ La aparición de dos consonantes iguales seguidas en español:	10

1. a. 📖 V Lee este anuncio de trabajo y complétalo con las palabras que faltan.

Importante Multinacional del sector petroquímico PRECISA
DELEGADO DE VENTA para la zona de Valencia

Se ----------------------:
– Carné de conducir
– Titulación universitaria
– ---------------------- de informática: Word, Excel, Powerpoint
– Inglés (hablado y escrito)
– ---------------------- para viajar

Se ----------------------:
– Contrato ----------------------
– Gran oportunidad para desarrollar una carrera internacional
– ---------------------- a cargo de la empresa
– Coche de empresa
– ---------------------- a negociar

---------------------- , enviar currículum vítae con fotografía reciente
al apartado de correos 12003 de Madrid

> ofrece
>
> disponibilidad
>
> requiere
>
> indefinido
>
> interesados
>
> sueldo
>
> conocimientos
>
> formación

b. V Relaciona un elemento de cada columna para asociar las palabras que suelen aparecer juntas en las ofertas de trabajo.

1. contrato
2. disponibilidad
3. formación
4. vehículo
5. buena
6. experiencia
7. incorporación
8. inglés

a. presencia
b. a cargo de la empresa
c. demostrable
d. fluido
e. para viajar
f. inmediata
g. propio
h. indefinido

c. V ¿Cuáles de estas cualidades y aptitudes tienes? Márcalas y, después, añade otras. Puedes usar el diccionario, si lo necesitas.

d. Lee la lista de cualidades de tu compañero. Con todo lo que sabes de él, ¿qué trabajo crees que podría hacer bien? Escribe un anuncio de trabajo para él en tu cuaderno.

e. Dale el anuncio a tu compañero. ¿Está de acuerdo con tu elección? ¿Le parece interesante ese trabajo? ¿Por qué? Comentadlo.

☐ Tengo buena presencia.
☐ Soy flexible.
☐ Soy una persona comunicativa.
☐ Soy responsable.
☐ Soy una persona creativa.
☐ Tengo facilidad para las relaciones humanas.
☐ Soy una persona seria.
☐ Soy amable.
☐ Soy una persona dinámica.
☐ Sé hablar en público.
☐ Tengo mucha experiencia.
☐ Tengo capacidad de decisión.
☐ Soy sociable.

----

2. a. [ ] [v] **Elena Roca está buscando trabajo. Lee la carta que ha enviado a la agencia de Publicidad Angain & Asociados y complétala con las palabras del cuadro.**

ustedes	licenciada	he realizado	currículum vítae	negocios
experiencia	oferta	administración	entrevista	estudios

Elena Roca Villa
c/ Monte Esquinza, 30, 7.º A
Madrid 28010

Madrid, 24 de marzo de 2006

Estimados Sres.:

En respuesta a su .... de trabajo aparecida el pasado domingo día 19 en el diario *La Nación*, les envío mi ....

Soy .... en *marketing* y publicidad por la escuela de .... EIE, de Madrid.

Recientemente .... un máster de .... de empresas en el Instituto Internacional de Economía.

Si desean .... ampliar la información sobre mis .... o .... profesional, pueden ponerse en contacto conmigo en los teléfonos que figuran en mi currículum vítae.

Estoy a su disposición para una .... personal.

Les saluda atentamente,

ER

Elena Roca

b. (67) **Ahora escucha la entrevista de trabajo de Elena y marca la opción correcta.**

1. ¿Con quién se entrevista?
   a. Con la jefa de personal.
   b. Con la jefa del departamento de *marketing*.
   c. Con la jefa del departamento de sistemas.

2. En el verano de 2004…
   a. trabajó como becaria en una empresa eléctrica.
   b. la nombraron jefa del departamento de *marketing*.
   c. viajó a Bolivia.

3. Elena quiere obtener ese puesto de trabajo…
   a. porque quiere desarrollar una carrera internacional.
   b. porque le ofrecen un contrato indefinido.
   c. porque los ingresos son muy altos.

c. [G] **Lee estas oraciones y subraya la opción correcta.**

1. En el año 2004 **he trabajado/trabajé** como becaria en una empresa de electricidad.

2. El verano pasado **viajaba/viajé** a Bolivia para participar en un proyecto de cultivos ecológicos.

3. Ayer **tuve/he tenido** una entrevista de trabajo.

4. Mis compañeros del proyecto **eran/fueron** bolivianos.

5. ¿**Hiciste/has hecho** algún máster o curso de formación últimamente?

6. ¿**Tienes/tuviste** titulación universitaria?

3. a. 🔊 68 **Elena ha empezado a trabajar en la agencia de publicidad Angain & Asociados. Escucha su conversación con un compañero de trabajo y marca en esta lista las recomendaciones que él le da.**

☐ Crear la dirección de correo electrónico.

☐ Conocer a todo el equipo de ventas.

☐ Ser puntual.

☐ Presentarse al director de *marketing*.

☐ Visitar a los principales clientes.

☐ Presentar los resultados del semestre anterior.

☐ Escribir un informe sobre nuevos clientes.

☐ Estar tranquila.

☐ Conocer a todos los clientes de la empresa.

☐ Conocer todos los departamentos de la empresa.

☐ Cuidar su salud.

☐ Hacer deporte.

b. 🗨 G **¿Qué consejos puedes darle a un amigo que empieza a trabajar o que empieza a estudiar español? Anótalos y, después, coméntalo con un compañero.**

◆ Para aprender español hay que hablar mucho con la gente.

◆ Sí, estoy de acuerdo, pero para mí lo mejor es leer. Me ayuda mucho a aprender vocabulario.

4. a. G **Añade la terminación *-mente* a estas palabras para formar adverbios.**

1. amable → _amablemente_

2. cuidadoso → ----------------------

3. correcto → ----------------------

4. lento → ----------------------

5. rápido → ----------------------

6. atento → ----------------------

7. tranquilo → ----------------------

8. frecuente → ----------------------

b. V **¿Tú cómo haces estas cosas? Completa las oraciones con alguno de los adverbios de la lista anterior.**

1. Si tengo mucha prisa, ando _rápidamente_

2. Si hablo en mi idioma, lo hago ---------------------- .

3. El primer día de clase hablaba ---------------------- .

4. Conduzco ---------------------- .

5. Siempre quiero hacer los ejercicios ---------------------- .

6. Cuando una persona nos habla, lo mejor es escuchar ---------------------- .

7. Si no tengo preocupaciones, duermo ---------------------- .

8. Si voy a tomar una medicina, leo las instrucciones de uso ---------------------- .

5. a. ◁ Completa tu currículum vítae.

CURRÍCULUM VÍTAE

FOTO

Información personal
Apellido(s) y nombre
Dirección
Teléfono
Dirección de correo
electrónico
Nacionalidad
Fecha de nacimiento

Experiencia laboral
Fecha
Tipo de empresa
Principales actividades

Educación y formación
Fecha
Título
Centro que ha
impartido la enseñanza

Fecha
Fecha
Título
Centro que ha
impartido la enseñanza

**Capacidades
y aptitudes personales**

Lengua materna

Otros idiomas

Comprender	
Hablar	
Escribir	

**Capacidades y competencias
sociales**

**Capacidades y competencias
organizativas**

**Capacidades y competencias
informáticas**

**Permiso
de conducir**

Información adicional

b. Intercambia tu currículum con el de un compañero. ¿Crees que hay algo que corregir
o mejorar en lo que ha escrito? ¿Puedes darle alguna recomendación? Comentadlo.

6. ◁ E En una entrevista de trabajo es muy importante la información sobre los conocimientos de idiomas. ¿Recuerdas el Pasaporte de lenguas del Consejo de Europa? Completa el tuyo. Puedes encontrar más información en la página del Consejo de Europa (www.coe.int/portfolio).

Apellido(s), nombre: Idioma(s) materno(s):

Fecha de nacimiento: Otro(s) idioma(s):

Autoevaluación de la capacidad lingüística

Comprender		Hablar		Escribir
Comprensión auditiva	Comprensión de lectura	Interacción oral	Expresión oral	Expresión escrita

Título(s) o certificado(s)

Denominación del/de los título(s) o certificado(s)	Centro emisor	Fecha	Nivel europeo

Experiencia(s) lingüística(s) en el idioma

Descripción	Desde	Hasta

7. G Elena y Javier están preparando una presentación en su empresa. Lee su conversación, fíjate en la posición de los pronombres y subraya la opción correcta.

◆ ¿Tienes todo el material para la presentación?

◆ Sí. **Lo tengo aquí/tengo lo aquí**.

◆ ¿Y has hecho ya las fotocopias?

◆ Tranquila, Miguel **las está haciendo en este momento/está las haciendo en este momento**.

◆ Vale, perfecto. Oye, ¿cuándo vas a imprimir la agenda de la reunión?

◆ **Voy a la imprimir enseguida/voy a imprimirla enseguida**. Después **dásela/dálela** a cada uno de los asistentes.

◆ De acuerdo. ¿Tenemos las transparencias y el proyector digital?

◆ Sí, sí, **lo tenemos todo preparado/tenemos lo todo preparado**.

◆ ¿Y le has dicho a Miguel que necesitamos agua, café, zumos y unas pastas?

◆ Sí, **se lo he dicho esta mañana/he dicho se lo esta mañana**. A las diez **va a traérnoslo/va a traérlonos**.

◆ ¡Estoy tan nerviosa con la reunión!

◆ Pues **tranquilízate/te tranquiliza**, porque seguro que sale todo bien.

8. G Transforma estas oraciones escribiendo los pronombres correspondientes (*lo, la, los, las, le, les, se*).

1. Escribe (al director) una carta. → _Escríbesela_ .

2. Dame el periódico. → Dáme____ .

3. Cuenta el chiste (a Juan). → Cuénta____ .

4. Voy a ponerme la chaqueta. → Voy a ponér____ .

5. Apaga la televisión. → Apága____ .

6. No he visto las fotos. → No ____ he visto.

7. Voy a enseñar (a Ana) mi casa.

→ Voy a enseñár____ .

8. Recoge el cuaderno y los libros.

→ Recóge____ .

9. a. 69 P Escucha estos pares de palabras y repítelos.

1. Ana - ama
2. maná - mamá
3. mano - maño
4. loma - lona
5. remo - reno

6. caña - cama
7. nulo - mulo
8. nido - mido
9. rana - rama
10. pena - peña

b. 70 P Escucha y subraya en la lista anterior la palabra que escuches de cada par.

c. O Completa estas palabras con *m* o *n*. Ten en cuenta la regla ortográfica.

Ortografía de la *m*
En español, se escribe *m* delante de *p* y *b*.

1. a___biente
2. i___vitar
3. i___seguro
4. a___tiguo

5. i___presión
6. i___perfecto
7. i___posible
8. i___cierto

9. i___tenso
10. li___piar
11. so___bra
12. a___bulancia

10. a. P Escucha y divide estas palabras en sílabas. Ten en cuenta la regla ortográfica.

1. innovación → in-no-va-ción
2. irrepetible → _____
3. acción → _____
4. instrucción → _____
5. arriba → _____
6. llave → _____
7. lleno → _____
8. hierro → _____

Aparición de dos consonantes iguales seguidas en español
En español, el grupo *rr* representa un único sonido, al igual que el grupo *ll*.   Las consonantes *c* y *n* también pueden aparecer seguidas en una palabra, pero en distintas sílabas.   sec-ción   in-no-var

b. P ¿Conoces otras palabras que se escriben con las letras *rr* o *ll*? ¿Y palabras donde aparecen seguidas las consonantes *c* o *n*? Escribe algunos ejemplos. Puedes consultar el diccionario.

- rr: _____
- ll: _____

- cc: _____
- nn: _____

Ahora ya puedo...

☺ 😐 ☹

	☺	😐	☹
entender la información principal de los anuncios de trabajo			
dar información básica sobre mi formación y trayectoria profesional en una entrevista de trabajo			
elaborar mi propio currículum vítae			
pedir y dar información sobre experiencias y actividades relacionadas con la formación y el trabajo			
dar consejos relacionados con el trabajo			

1.

La cadena de tiendas de El Corte Inglés es muy conocida en toda España.
Lee este texto sobre su historia y marca si estas afirmaciones son verdaderas (V)
o falsas (F).

	V	F
1. El Corte Inglés abrió sus puertas al público por primera vez en 1939.	☐	☐
2. En sus comienzos fue una tienda de ropa de niños.	☐	☐
3. En 1940 tenía setenta empleados.	☐	☐
4. Entre 1945 y 1946 El Corte Inglés amplió su superficie de venta en cinco plantas.	☐	☐
5. En la década de los sesenta se inauguraron nuevos centros en varias ciudades españolas.	☐	☐
6. En 1995 más de cinco mil empleados empezaron a trabajar en la empresa.	☐	☐
7. En el año 2001 la empresa compró varios hipermercados al grupo Carrefour y nueve centros del grupo Marks & Spencer.	☐	☐
8. El Corte Inglés ha abierto recientemente, en Londres, el mayor almacén de Europa.	☐	☐

HISTORIA DE EL CORTE INGLÉS

El Corte Inglés toma su nombre de una tienda dedicada a la especialidad de ropa para niños, fundada en Madrid, en el año 1890. En 1934, D. Ramón Areces Rodríguez, fundador de El Corte Inglés, S. A., compra la sastrería, la constituye en Sociedad Limitada y comienza su trayectoria empresarial.

Tras la Guerra Civil española, en el año 1939, comenzó una nueva fase que supondría el primer desarrollo progresivo de lo que hoy es el grupo El Corte Inglés. Se compró una finca en la calle de Preciados, número 3, esquina a la de Tetuán, de la cual se destinaron a la venta la planta baja, la primera y parte de la segunda. El 24 de junio de 1940 la sociedad se convirtió en Sociedad Anónima. Entonces tenía siete empleados.

Entre los años 1945 y 1946 se reformó todo el edificio. La superficie de venta pasó a ocupar un total de 2000 m² en cinco plantas. Se da comienzo así a la estructura definitiva de venta por departamentos, propia de un gran almacén.

La década de los sesenta fue importante para la expansión de El Corte Inglés como gran almacén: se inauguraron nuevos centros en Barcelona, Sevilla y Bilbao, además de Madrid.

Desde finales de los sesenta hasta mitad de los noventa, tiene lugar una fase de fuerte crecimiento del grupo El Corte Inglés, marcado por la expansión a otras capitales de provincia y por la diversificación de su actividad comercial, que pasó a tomar posiciones en otros negocios. Así, en 1969, se constituyó la sociedad Viajes El Corte Inglés, S. A. Diez años después, en 1979, se creó Hipercor, S. A., y en 1982 se adquirió la sociedad Centro de Seguros, S. A. Este periodo de expansión culminó en 1995 con la adquisición de las propiedades inmobiliarias de otro gran almacén, Galerías Preciados, y la incorporación a la plantilla de 5200 trabajadores.

El 29 de junio del año 2001 la empresa Hipercor, S. A. –perteneciente al grupo El Corte Inglés, S. A.– compró cinco hipermercados a la sociedad Carrefour, S. A., incluidos en su plan de desinversiones, y las galerías comerciales correspondientes. El día 23 de noviembre de 2001 se inauguró al público el primer gran almacén de El Corte Inglés en Lisboa. En el mes de diciembre de 2001, El Corte Inglés adquirió al grupo Marks & Spencer los nueve centros que tenían en España.

Transcripciones

Unidad 0

Grabación 1

Enrique: Hola, buenos días a todos. Me llamo Enrique y soy vuestro profesor de español. Bienvenidos a la escuela. Voy a leer vuestros nombres. ¿Caroline Dubois?

Caroline: Sí, soy yo.

Enrique: Hola, Caroline. ¿Sarah Darab? ¿No? ¿Gabriella Della Casa? ¿Gabriella Della Casa...? ¿No? Vale, seguimos. ¿Robert? ¿Robert Doher... Doherty?

Robert: Doherty. Sí, soy yo.

Enrique: Muy bien, Robert. ¿Hugo Durão?

Hugo: Yo. Hola. Hola a todos.

Enrique: Hola, Hugo. ¿Fröst, Leopold...? ¿Leopold? No está. ¿Güden, Alfred? ¿Hervé, Richard? Seguimos. ¿Siepi, Luigi?

Luigi: Yo, yo soy Luigi. Hola, buenos días.

Enrique: Buenos días, Luigi. ¿Qué tal?

Luigi: Bien, gracias.

Enrique: ¿Harada, Naoko?

Naoko: Yo, yo soy Naoko. Hola a todos.

Enrique: Y Vlack, Josef. ¿No? Bien, seguimos.

Grabación 2

Enrique: Ahora que ya sabemos nuestros nombres, vamos a decir algo más de nosotros. Por ejemplo: yo me llamo Enrique. Soy español, de Salamanca. Y tú, Caroline, ¿de dónde eres?

Caroline: Yo soy de Francia.

Enrique: ¿Y dónde vives?

Caroline: En Lyon.

Enrique: Muy bien, Caroline, ¿puedes preguntarle a Hugo?

Caroline: Hugo, ¿de dónde eres?

Hugo: Soy de Brasil, de São Paulo. Vivo allí, en mi ciudad. ¿Y tú, Robert?

Robert: Yo soy irlandés, de Dublín, y vivo en Londres. Y tú, Luigi, ¿eres italiano?

Luigi: Sí, de Milano... no, cómo se dice, de Milán. Soy de Milán y vivo en Roma. Y tú, Naoko, ¿de dónde eres?

Naoko: De Japón.

Luigi: ¿Y dónde vives?

Naoko: En Tokio.

Grabación 3

1. **Alberto:** ¿Te llamas Juan?
   Juan: Sí.
2. **Eva:** ¿Cómo se llama tu profesora?
   Susana: María.
3. **Jaime:** ¿Qué lenguas hablas?
   Carmen: Árabe y español.
4. **Ignacio:** ¿Cómo se dice esto en español?
   Sebastián: Goma.
5. **Pedro:** ¿Para qué estudias español?
   Marie: Para trabajar en Argentina.
6. **Juana:** ¿Eres Isabel?
   Lola: No, yo soy Lola.
7. **Javier:** ¿Dónde vives?
   Amparo: En Sevilla.
8. **Julián:** ¿Cómo se escribe tu nombre?
   Dunia: De, u, ene, i, a. Dunia.
9. **Tom:** ¿Qué significa *aula*?
   Alfredo: Es lo mismo que *clase*.
10. **Miki:** ¿De dónde eres?
    Valentino: De Italia. ¿Y tú?

Grabación 4

1. Adiós, hasta mañana.
2. Adiós.
3. ¡Hola! ¿Qué tal?
4. Hasta luego.
5. Hasta mañana.
6. ¡Hola! ¿Qué tal?

Grabación 5

1. chocolate
2. universidad
3. teléfono
4. menú
5. jersey
6. kilo
7. aeropuerto
8. hospital
9. pasaporte
10. café
11. hotel
12. sofá

Grabación 6

1. ce, hache, i, ele, e
2. be, o, ele, i, uve, i, a
3. e, ce, u, a, de, o, erre
4. hache, o, ene, de, u, erre, a, ese
5. ce, u, be, a
6. u, erre, u, ge, u, a, i griega
7. ce, o, ele, o, eme, be, i, a
8. a, erre, ge, e, ene, te, i, ene, a

Grabación 7

1. ¿Cómo se llama esto en español?
2. ¿Eres portugués?
3. *Thank you* se dice *gracias* en español.
4. ¿Marysse se escribe con dos eses?
5. Vives en Nueva York.
6. ¿Qué significa *despedirte*?
7. El español se habla en muchos países.
8. ¿De dónde eres?
9. Vivianne se escribe con uve y dos enes.
10. ¿Dónde vive Ludovic?

Grabación 8

Luigi: ¡Hola! ¿Cómo te llamas?

Hugo: ¡Hola! Yo me llamo Hugo, ¿y tú?

Luigi: Luigi.

Hugo: Luigi... ¿eres italiano?

Luigi: Sí, de Milán. Pero vivo en Roma. Y tú eres brasileño, ¿no?

Hugo: Sí, vivo en São Paulo.

Luigi: ¿São...? ¿Cómo se escribe?

Hugo: Ese, a, o, pe, a, u, ele, o.

Luigi: Ah, ya. Oye, hablas muy bien español.

Hugo: Un poco... ¡pero no hablo italiano! ¿Y tú, qué lenguas hablas?

Luigi: Hablo italiano, claro, inglés y español. un poquito.

Hugo: ¿Y para qué aprendes español?

Luigi: Para viajar, ¿y tú?

Hugo: Para viajar y para trabajar.

Unidad 1

Grabación 9

Flavio: Perdona, ¿hablas español?

Alan: Sí, un poquito.

Flavio: ¿Tú eres Alan Wilson?

Alan: Bueno, sí, me llamo Alan, pero me apellido Doherty.

Flavio: Ah... Yo me llamo Flavio Necchi, soy italiano.

Alan: Encantado. Y tú, ¿cómo te llamas?

Misako: Misako.

Flavio: Hola, Misako. ¿De dónde eres?
Misako: De Japón.
Flavio: ¿Y desde cuándo vives en Madrid?
Misako: Desde enero. Soy médica y he venido a trabajar.
Flavio: ¡Qué bien! Yo trabajo aquí, soy dentista. ¿Y tú, Alan?
Alan: Yo soy profesor de inglés.

Grabación 10

1. **Teresa:** Mira Ana, esta es mi amiga Blanca. Blanca, esta es Ana, una compañera de trabajo.
   Ana: ¡Hola! ¿Qué tal?
2. **Aurora:** Señora Martín, le presento a Carmen Solano, la directora de la escuela.
   Carmen: Encantada de conocerla.
3. **Marga:** Encantada de conocerte.
   Carlos: Igualmente.
4. **José:** Mira, Thomas, te presento a mi profesor.
   Thomas: Encantado.

Grabación 11

1. Tu autobús es el 77, ¿verdad?
2. Aquí el menú del día vale 15 euros.
3. La escuela está en el número 97 de la calle Pinar.
4. Cuesta 76 euros. Es un poco caro, ¿no?
5. Vivo en la calle Alcalá, número 65.
6. Entre Madrid y Aranjuez hay 50 kilómetros.
7. Tu cumpleaños es el 28 de agosto, ¿no?
8. En mi clase de español hay 7 estudiantes.
9. Abrid el libro por la página 56.

Grabación 12

Jesús: Perdona, ¿tienes la dirección de estos estudiantes? Es que tengo que enviarles unas cartas y no tengo todos los datos.
Luisa: Sí, las tengo en el ordenador. A ver…, espera… Ya. Dime.
Jesús: ¿Dónde vive Gudrun Caspar?
Luisa: En la calle Cuarta, número 12, 1.º derecha.
Jesús: ¿Y el código postal?
Luisa: Es el 28012, Madrid.
Jesús: Bien. ¿Y Wolfgang Straub?
Luisa: Wolfgang vive en la avenida de la Paz, número 24, 6.º izquierda.
Jesús: ¿Y en qué número vive Karsten Rincke?
Luisa: En el 9.
Jesús: ¿Y en qué piso?
Luisa: En el 7.º izquierda.
Jesús: Perfecto. Y el último: Thomas Warnecke.
Luisa: Thomas vive en la calle Jarama, número 19, 1.º derecha.
Jesús: ¡Muchas gracias!
Luisa: De nada.

Grabación 13

1. Sesenta y seis.
2. Setenta y cuatro.
3. Setenta y cinco.
4. Setenta y uno.

Grabación 14

1. café
2. kilómetro
3. escuela
4. quinto
5. quién
6. cuál
7. cómo
8. cumpleaños

Grabación 15

1. casa
2. compañero
6. quince
7. calle
11. quién
12. cuándo

3. catorce
4. cuarto
5. colegio
8. consonante
9. qué
10. cuatro
13. cuál
14. cuarenta

Unidad 2

Grabación 16

1. **Sophie:** Perdona, ¿puedes repetir, por favor?
   Alicia: Sí, claro. Abrid el libro por la página 20.
2. **Yuki:** ¿Cómo se escribe tu apellido?
   Julio: Con ka. Ka, ene, a, ese, te, e, erre.
3. **Charles:** ¿Cómo se dice *library* en español?
   Carmela: Biblioteca.
4. **Gilberto:** ¿Qué significa *buenos días*?
   Antonio: Es algo que se dice para saludar por la mañana.
5. **Albert:** ¿Cómo se dice: *dictionario* o *diccionario*?
   Tomás: Diccionario.
6. **Alfredo:** ¿*Bolígrafo* se escribe con be o con uve?
   Petra: Con be.

Grabación 17

1. **Pablo:** Perdón, por favor, ¿tiene hora?
   Antonia: Eh... sí, es la una y media.
   Pablo: Gracias.
   Antonia: De nada.
2. **Fernando:** Luis, perdona, ¿tienes hora?
   Luis: Sí, son las nueve.
3. **Cristina:** ¿Qué hora es?
   Julián: La una menos veinte.
   Cristina: Gracias.
4. **Iván:** Por favor, ¿tienes hora?
   Mar: Sí, son… las ocho y veinticinco.
   Iván: Muchas gracias.
   Mar: De nada.
5. **Sergio:** Claudia, ¿qué hora es?
   Claudia: Las seis y cuarto.
   Sergio: ¿Las seis y cuarto? ¡Qué tarde!
6. **Chus:** Emilio, oye, ¿qué hora es?
   Emilio: Las once... las once menos cuarto.
   Chus: Pues tenemos que irnos.
7. **Belén:** Carlos, ¿qué hora tienes?
   Carlos: Las dos y media.
   Belén: Gracias.
8. **Pedro:** Perdón, ¿tiene hora, por favor?
   Beatriz: Sí, claro, son las siete y diez.
   Pedro: Muchas gracias.
   Beatriz: De nada.

Grabación 18

1. libro
2. actividad
3. levantarse
4. cambiar
5. viernes
6. dibujar
7. hablar
8. sábado
9. ver
10. escribir

Unidad 3

Grabación 19

Josefina: Oye, Begoña, tienes novio, ¿no?
Begoña: Sí...
Josefina: Cuenta, cuenta... ¿Cómo es?
Begoña: Pues es muy generoso, trabajador, inteligente...

Josefina: Vale, vale, eso está muy bien. ¿Pero cómo es físicamente?
Begoña: Es muy guapo. Es alto y tiene el pelo oscuro, un poco rizado. Y muy corto.
Josefina: ¿Y los ojos?
Begoña: Negros. Y lleva gafas.
Josefina: ¿Y qué más?
Begoña: Pues es bastante delgado.
Josefina: ¿Y a qué se dedica?
Begoña: Es profesor.
Josefina: ¿Y qué tal os va? ¿Bien?
Begoña: Sí, muy bien, estoy muy contenta.

Grabación ⑳

Pablo: Mira, una foto de mi familia. Estos son mis abuelos: Federico y Matilde.
Manuel: ¡A ver! Ah, sí. Y esta es tu madre, ¿no? Te pareces mucho a ella.
Pablo: Sí, todo el mundo me lo dice. Y este es mi padre, Vicente.
Manuel: ¿Y estas quiénes son?
Pablo: Mi hermana Amaya y mi sobrina Sara.
Manuel: ¿Esta es tu sobrina? ¡Qué guapa!
Pablo: Esa es Sara, sí. Y esta es su madre, Anabel, que está casada con mi hermano Nacho.
Manuel: ¿Y cómo se llama el hermano de Sara?
Pablo: Nicolás. Es el pequeño de la familia.
Manuel: Nicolás. Es un nombre muy bonito. Oye, ¿y estas niñas?
Pablo: Son mis primas, Marta y Laura, las hijas de Rosario y Paco. Marta es la mayor.
Manuel: ¿Tu padre es hermano de Paco?
Pablo: No, no... Mi padre es el hermano de mi tía Rosario.
Manuel: No sois una familia muy numerosa, pero no sé si me acuerdo de los nombres... ¿Me los dices otra vez?
Pablo: Ven a comer a casa un día y te los presento.
Manuel: Vale, estupendo.

Grabación ㉑

Lola: ¿Te apetece ir a un museo?
Heliano: ¿A un museo? Bueno. ¿Cuándo?
Lola: Pues no sé... Este fin de semana.
Heliano: Vale, ¿quedamos el viernes por la tarde?
Lola: Ay, el viernes no puedo, lo siento. Tengo planes. Es que es el cumpleaños de mi sobrina y hay una fiesta.
Heliano: ¿Y el domingo?
Lola: El domingo sí, estupendo.
Heliano: ¿A qué museo quieres ir?
Lola: Pues me gustaría ir a ver la nueva exposición del Museo Nacional de Arte.
Heliano: Uf, no sé...
Lola: Bueno, vale. Ya veo que no te apetece. También hay exposiciones muy buenas en el museo Picasso y en la Fundación Miró.
Heliano: Eso sí me apetece. Creo que hay una sobre el *collage* en la Fundación Miró. ¿Vamos?
Lola: De acuerdo. Oye, ¿por qué no vienes a mi casa a comer y vamos por la tarde?
Heliano: Vale, comemos en tu casa y vamos a la exposición.
Lola: Entonces, hasta el domingo. Te espero a las dos, ¿vale?
Heliano: Perfecto. Hasta luego.

Grabación ㉒

1. aceptar
2. aprendizaje
3. decir
4. felicitar
5. hacer
6. marzo
7. ocio
8. parecer
9. rizado
10. Venezuela

Grabación ㉓

1. francés
2. Suiza
3. pronunciación
4. aceite
5. plaza
6. cero
7. pizarra
8. abrazo
9. conversación
10. ejercicio

Grabación ㉔

Joaquín: Manolo, ¿quién es esa chica tan guapa?
Manolo: Es mi prima.
Joaquín: ¿Ah, sí? ¿Tu prima? Está muy diferente. No sé, el pelo... ¡Qué bonito!
Manolo: ¿Bonito? Chico, no sé... Castaño, largo, liso... normal.
Joaquín: ¿Y sus ojos? ¿Qué me dices de sus ojos?
Manolo: Bueno, no sé... Tiene los ojos negros, pero...
Joaquín: Mira, te saluda. ¡Qué simpática!
Manolo: Sí, es muy simpática. Y muy alegre. Oye, Joaquín, lo siento, pero está casada.
Joaquín: Ya me lo imaginaba... ¡Qué pena!

Unidad 4

Grabación ㉕

Ana: Tengo que comprarme algo de ropa para la fiesta de cumpleaños de Miguel.
Cristina: Sí, yo también. ¿Por qué no vamos a la planta de moda y miramos algo?
Ana: ¡Vamos!
Cristina: Mira, este vestido negro es bonito. Me gusta mucho.
Ana: Sí, pero es muy formal, ¿no? Oye, mira estos pantalones vaqueros. Y con esta blusa de seda rosa... Imagínate.
Cristina: ¿Tú crees? Es que no me gusta el color rosa. La blusa es bonita, pero no me gusta el color. Oye, mira qué abrigo tan bonito. Uf, pero es un poco caro.
Ana: Sí. ¿Y esta cazadora? ¿Qué te parece?
Cristina: No me convence... ¡Ah, ya sé! Esta falda de pana azul me encanta. Con un jersey negro tiene que quedar muy bien. A ver si tienen mi talla.
Ana: Pero es un poco corta, ¿no?
Cristina: Ya, pero con unas botas negras quedará muy bien. Sí, me la voy a llevar, me gusta mucho. Y tú, ¿qué vas a hacer?
Ana: A mí me gusta el vestido negro, soy muy clásica, ya me conoces. Sí, me lo compro.
Cristina: Vale, pero póntelo con esta chaqueta roja, que quedará muy bien.
Ana: De acuerdo, te hago caso. Me llevo también la chaqueta.

Grabación ㉖

1. **Entrevistador:** Disculpe, señora. ¿Puedo hacerle una pregunta para la radio?
   Mireia: Sí, dígame.
   Entrevistador: ¿Usted dónde prefiere hacer la compra?
   Mireia: Yo prefiero comprar en las tiendas que tengo cerca de casa.
   Entrevistador: ¿No prefiere los grandes almacenes?
   Mireia: No, porque en las tiendas del barrio ya me conocen y me tratan muy bien.
2. **Entrevistador:** Por favor, ¿me puede responder a unas preguntas para un programa de la radio?
   Felipe: Bueno, pero tengo un poco de prisa.
   Entrevistador: Solo es un minuto. Normalmente, ¿dónde hace usted la compra?

Felipe: Bueno, en casa preferimos comprar en unos grandes almacenes los jueves o los viernes por la tarde, depende del trabajo. Como cierran tan tarde…

3. **Entrevistador:** Perdona, ¿nos puedes decir dónde haces tus compras normalmente?
   Rosa: ¿Mis compras? Bueno, pues normalmente voy con mis amigas a un centro comercial.
   Entrevistador: ¿Y no prefieres las tiendas pequeñas?
   Rosa: No, ir a un centro comercial es más cómodo. Allí tienes un montón de tiendas y normalmente encuentras todo lo que necesitas.

Grabación 27

1. **Cliente:** Perdone, por favor, ¿me puedo probar este abrigo?
   Dependiente: Claro que sí. ¿Cuál es su talla?
   Cliente: La 42. ¿Y me puede decir el precio?
   Dependiente: Sí, un momento… Sí, el precio es de 108 euros con 90 céntimos.
2. **Clienta:** Oiga, por favor, ¿me puede decir el precio de este frigorífico?
   Dependiente: Sí, señora. Este cuesta 500 euros con 80 céntimos.
3. **Clienta:** Por favor, ¿cuánto cuesta ese teléfono móvil?
   Dependienta: ¿Cuál? ¿Este?
   Clienta: Sí, ese, ese.
   Dependienta: Este teléfono cuesta 200 euros con 50 céntimos.
   Clienta: Gracias.
   Dependienta: De nada.
4. **Cliente:** Oiga, perdone, ¿cuánto cuestan esas zapatillas de deporte?
   Dependienta: Estas cuestan 105 con 99.
5. **Clienta:** Por favor, ¿qué precio tiene esa bicicleta roja?
   Dependiente: Sí, son… 432 euros.
   Clienta: ¡Muchas gracias!
6. **Cliente:** Perdone, esta crema solar, ¿cuánto cuesta?
   Dependienta: ¿Esta?
   Cliente: Sí, esa.
   Dependienta: Son 16 euros con 40.

Grabación 28

Dependiente: ¿Qué tal los pantalones? ¿Se lleva alguno?
Alberto: Bueno…, los pantalones azules me quedan largos, los marrones me quedan cortos, los beis me quedan pequeños, los negros me quedan anchos, los blancos me quedan grandes, los de pana me quedan estrechos…
Dependiente: Y los vaqueros, ¿qué tal le quedan?
Alberto: Los vaqueros me quedan bien, me los llevo.

Grabación 29

1. bar
2. bonito
3. puerta
4. hablar
5. espalda
6. pollo
7. baño
8. patio
9. baile
10. playa
11. pelo
12. bollo

Grabación 30

1. septiembre
2. hombre
3. séptimo
4. página
5. objeto
6. sobre
7. copa
8. cuerpo
9. despacio
10. pasta
11. buen
12. árbol

Unidad 5

Grabación 31

Felipe: ¿Dígame?
Pedro: Hola, Pedro. Soy Felipe.
Felipe: Hola, ¿qué tal?
Pedro: Bien, bien. Oye, estoy un poco aburrido. ¿Te apetece ir a tomar algo?
Felipe: Lo siento, no puedo, es que tengo que corregir unos exámenes. ¿Y si quedamos mañana por la noche?
Pedro: Vale. ¿Cómo quedamos?
Felipe: ¿A las nueve en la cervecería Los timbales? Me apetece mucho ir.
Pedro: No sé…
Felipe: ¿La conoces? Está muy bien.
Pedro: Sí, la conozco: hay tapas, raciones… Está todo muy bueno, pero a mí me apetece algo más.
Felipe: ¿Y si vamos a la tortillería Cáscaras?
Pedro: ¿Un vegetariano? No sé, no me apetece mucho. Oye, ¿por qué no vamos al asador Sobrino de Botín? Es un restaurante muy bueno. Es un poco más caro, pero la carne es muy buena. ¿Te apetece?
Felipe: Es una buena idea… Vale, de acuerdo. ¿Quedamos a las nueve en el bar que hay al lado?
Pedro: Perfecto, tomamos algo y luego vamos a cenar.
Felipe: Estupendo, llamo yo para reservar.
Pedro: Muy bien. ¡Hasta mañana!
Felipe: ¡Hasta mañana!

Grabación 32

Cliente: Buenos días.
Camarero: Buenos días. Van a comer, ¿verdad?
Cliente: Sí.
Camarero: Muy bien, pues aquí tienen la carta.
Cliente: Gracias. A ver qué hay hoy… Paz, el menú del día cuesta diez euros, ¿no?
Clienta: Sí, pero no sé si incluye dos platos o uno.
Cliente: Yo tampoco, no está claro. Vamos a preguntar. Camarero, por favor.
Camarero: Dígame.
Cliente: Una pregunta, ¿qué incluye el menú del día?
Camarero: Pueden ustedes elegir un primero, un segundo, un postre y la bebida. Los cafés son aparte.
Cliente: Ah, muy bien, muchas gracias.
Camarero: ¿Ya saben lo que van a tomar?
Clienta: Creo que sí. ¿Qué lleva la ensalada de la casa?
Camarero: Espárragos, atún, lechuga, tomate y cebolla.
Clienta: Perfecto. Para mí, entonces, la ensalada de primero.
Cliente: Y yo voy a tomar una sopa de ajo. Y de segundo… ¿La lasaña es vegetariana?
Camarero: Sí señor, de espinacas.
Cliente: Pues, de segundo, lasaña.
Clienta: Y yo, un filete con patatas fritas.
Camarero: ¿Y para beber?
Cliente: Una botella de tinto de la casa, ¿no?
Clienta: Yo prefiero agua.
Cliente: Entonces tráiganos una botella de agua mineral sin gas.
Camarero: Muy bien.

Grabación 33

Locutor: Seguimos en Onda Vital. Les recordamos que hoy nuestro tema es la nutrición. Y me dicen que tenemos al teléfono a la responsable del Ministerio de Sanidad y Consumo para hablarnos sobre este tema, doña Carmen López. Buenos días, señora López.

Carmen: Buenos días.

Locutor: Queríamos preguntarle cuál es su recomendación general para llevar una alimentación sana.

Carmen: Bueno, lo primero en lo que queremos insistir es en que no hay que suprimir comidas, eso es un error. Lo que hay que hacer es distribuirlas bien y comer tres o cuatro veces al día, en menos cantidad. Y, sobre todo, tenemos que dar más importancia al desayuno; todos sabemos que mucha gente toma solo un café con leche y eso no es suficiente.

Locutor: Claro, pero parece que con las prisas de hoy día y los horarios de trabajo nuestros hábitos están cambiando. Díganos, una mujer tan ocupada como usted, ¿es capaz de seguir estos consejos?

Carmen: Bueno, lo intento, lo intento… Es cuestión de organizarse.

Locutor: Muchas gracias, señora López, tendremos en cuenta sus recomendaciones.

Carmen: De nada, un placer.

Locutor: Tenemos una llamada. Hola, buenos días, ¿con quién hablamos?

Sara: Hola, me llamo Sara. Lo primero, felicidades por su programa, lo oigo todos los días.

Locutor: Gracias, Sara. Díganos, ¿qué cree que hay que hacer para comer mejor?

Sara: Mire, yo tengo una casa rural, ya sabe, un hotelito pequeño en el campo. Y a nuestros clientes les damos productos naturales, nada de comida basura ni platos preparados.

Locutor: ¿Y cree usted que hay que hacer dieta constantemente para perder peso?

Sara: No, qué va. No hay que obsesionarse con ese tema. Bueno, a mí me encantan los pasteles, pero intento no comer demasiado dulce. Pero eso no es hacer dieta, simplemente es tener un poco de cuidado. Hay que comer de todo, aunque de forma moderada.

Locutor: De acuerdo, muchas gracias por llamar, Sara.

Sara: De nada. Y a ver si vienen un día a visitar mi hotel.

Locutor: Estaríamos encantados, intentaremos ir a verla.

Sara: ¡Eso espero!

Locutor: Se nos acaba el tiempo, queridos oyentes. Nuestro programa acaba aquí, pero recuerden que mañana estaremos de nuevo con ustedes a la misma hora.

Grabación 34

Recepcionista: Consulta del Doctor Aramburu, ¿dígame?

Juan: Buenas tardes. Quería pedir cita. Es que me duele mucho el estómago.

Recepcionista: A ver, un momento… Mire, le puedo dar hora mañana por la tarde, a las siete.

Juan: ¿Y no puede ser antes? Es que me duele mucho.

Recepcionista: A ver… ¿Puede venir dentro de media hora? Hay un paciente que acaba de llamar para cancelar su cita.

Juan: Sí, sí, muchas gracias.

Recepcionista: De acuerdo. ¿Me dice su nombre?

Juan: Sí, Juan Ramos Sánchez.

Grabación 35

Paciente: Buenos días.

Médica: Buenos días. ¿Qué le pasa?

Paciente: Me duelen el estómago y la cabeza… No me encuentro bien.

Médica: ¿Tiene fiebre?

Paciente: No, fiebre no tengo.

Médica: ¿Le duelen las articulaciones, las piernas…?

Paciente: No.

Médica: ¿Le duele la garganta?

Paciente: Tampoco… Pero estoy cansado todo el día. Me levanto cansado y me acuesto cansado.

Médica: ¿Está nervioso últimamente? ¿Hay algo que le preocupa?

Paciente: Sí, un poco, tengo muchos problemas en el trabajo.

Médica: Ya veo. Y, dígame, ¿hace usted deporte?

Paciente: No…

Médica: Pues mire, lo mejor es que se tome usted unos días de descanso, si puede. Tiene que dormir suficiente, al menos siete horas, y también debe hacer algo de deporte.

Paciente: ¿Y no me receta ningún medicamento?

Médica: No. Si le duele la cabeza, puede tomar una aspirina, pero lo que más le va a ayudar es cambiar un poco sus costumbres. Y venga a verme dentro de unos días si no se encuentra mejor.

Paciente: De acuerdo. Gracias, doctora.

Médica: De nada, buenos días.

Grabación 36

El camarero	Raúl Riaza
en ese bar	toma una ración
sirve una tapa	en la terraza
de calamar.	del bar Ramón.

Grabación 37

1. cuchara
2. servilleta
3. azúcar
4. cerrar
5. zanahoria
6. restaurante
7. barato
8. refresco
9. merluza
10. postre
11. ración
12. parrilla

Unidad 6

Grabación 38

Ángela: Laia, el sábado después de comer, Luis y yo nos vamos a acercar a Okey a comprar algunas cosas para casa. ¿Te apuntas? Porque el otro día me comentaste que querías ir también a mirar algo…

Laia: Sí, sí, me apunto. Necesito una lámpara para el dormitorio, para la mesilla de noche.

Ángela: Nosotros también necesitamos una lámpara, pero grande, para el salón. Y también queremos comprar un juego de café, que no tenemos casi tazas… Y una cafetera.

Laia: Yo lo que no tengo es jarra para el agua; tengo que comprar una. Y unos vasos.

Ángela: También tenemos que comprar unas copas y unos cubiertos, porque los que tenemos están muy viejos y estropeados. Y, no sé, seguro que allí vemos más cosas que nos vienen bien.

Laia: Pues mira, estoy pensando que también podría mirar unos adornos para el salón: un florero, un revistero y alguna cosa más. Ah, se me olvidaba, y un frutero.

Ángela: ¡Ah! Nosotros tampoco tenemos, a ver si vemos uno.

Laia: ¿Vais a ir en coche? Es que, si podéis, me gustaría aprovechar para comprar unas plantas para la terraza.

Ángela: Sí, yo creo que sí. Y el maletero es grande…

Laia: Entonces, quedamos el sábado, ¿no?

Ángela: Sí, después de comer pasamos por tu casa.

Laia: Perfecto. Hasta el sábado entonces, Ángela. Y gracias.

Ángela: De nada, mujer. Hasta el sábado.

Grabación 39

Laia: A ver, esta lámpara para la mesilla de noche es mía, y la grande es vuestra, ¿no, chicos?
Ángela: Sí, sí, es nuestra. Y también la cafetera, la tetera...
Clienta: Disculpe, pero la tetera es mía.
Ángela: ¡Ay! Sí, perdone, es que con tanta bolsa... Y este florero redondo, ¿también es suyo?
Clienta: Sí, es mío. ¿Y este otro cuadrado es de ustedes?
Laia: A ver... sí, el cuadrado es mío. Y el revistero, también.
Clienta: No, no, perdone, este revistero es mío; el suyo es este de madera.
Laia: Sí, es verdad, perdón. Ángela, Luis, los cubiertos...
Luis: Los de acero inoxidable son nuestros, ¿no, Ángela? Pero estos de plástico no. ¿Son tuyos, Laia?
Laia: No, no son míos. ¿Son suyos, señora?
Clienta: Sí, gracias.
Luis: A ver. Los vasos y la jarra son tuyos, Laia. Y también este frutero de cristal.
Laia: Sí, son míos, gracias. Y las plantas también. ¿Me las acercas, por favor, Luis? Gracias. Y estas velas, ¿son vuestras?
Luis: ¿Las velas? No, creo que son de esta señora...
Clienta: Sí, gracias, son mías.
Luis: ¡Por fin! Ya está todo.

Grabación 40

Jaime: Entonces, ¿para bloquear el teclado?
Ana: A ver, abuelo, ¿te has leído las instrucciones?
Jaime: Sí, hija, pero no me acuerdo...
Ana: Es muy fácil. Aprietas la tecla azul que está arriba, a la derecha, y luego, aprietas la tecla asterisco.
Jaime: ¿Y para desbloquear?
Ana: Pues igual, primero la tecla azul y luego la tecla asterisco, y ya tienes el teclado activado. ¿Qué más?
Jaime: Sí, otra cosa. Para oír los mensajes, ¿qué tengo que hacer?
Ana: ¿Tienes el mismo operador que yo, verdad?
Jaime: Sí, Todovoz.
Ana: Entonces, marcas el 133 y pulsas la tecla de llamada. Y escuchas una voz que te dice las opciones del menú principal: «Este es el servicio contestador de Todovoz. Tiene un mensaje nuevo y dos mensajes guardados. Para escuchar sus mensajes, pulse 1, para borrarlos pulse 2», etcétera, y pulsas el número de la opción que quieras.
Jaime: ¡Cómo te lo sabes! ¡Qué memoria!
Ana: Claro, es que lo he oído tantas veces... ¿Algo más?
Jaime: Sí, lo de la agenda...
Ana: Déjame el manual de instrucciones del teléfono, eso lo vamos a mirar juntos.

Grabación 41

1. gente
2. jersey
3. dibujo
4. judía
5. página
6. jarra
7. vajilla
8. amiga
9. guerra
10. gorro
11. agua
12. guitarra

Grabación 42

1. agenda
2. hijos
3. yogur
4. portugués
5. naranja
6. galleta
7. guinda
8. tarjeta

Unidad 7

Grabación 43

Entrevistadora: Buenos días. ¿Me permite que le haga un par de preguntas sobre su barrio?
Rodrigo: Sí, claro.
Entrevistadora: Díganos, ¿en qué barrio vive?
Rodrigo: Yo vivo en el casco antiguo.
Entrevistadora: En pleno centro de la ciudad, ¿no?
Rodrigo: Sí, eso es, en el centro.
Entrevistadora: ¿Y está contento?
Rodrigo: Sí, me gusta mucho. Es un barrio muy animado, tengo todo lo que necesito al lado de casa. Hay tiendas, restaurantes, cines, colegios... De todo. Y además está bien comunicado: hay varias líneas de autobús y de metro por la zona.
Entrevistadora: ¿Cree que hay algún problema en su barrio?
Rodrigo: No sé... Bueno, si lo comparamos con otros barrios, no hay muchos parques ni zonas verdes. Sí, eso es algo que habría que mejorar.
Entrevistadora: ¿Quiere comentar alguna cosa más?
Rodrigo: Sí, hay muchos bares y a veces, por la noche, hay mucho ruido. Sobre todo los fines de semana, es terrible...
Entrevistadora: Muy bien, gracias.
Rodrigo: De nada.
Entrevistadora: Perdone, señora, estamos haciendo a la gente preguntas sobre su barrio. ¿Me permite? Serán solo unos minutos.
Tona: Sí, dígame.
Entrevistadora: ¿Dónde vive usted?
Tona: Yo vivo en el Barrio Blanco.
Entrevistadora: ¿Y está contenta?
Tona: La verdad es que está muy bien. Es un barrio muy tranquilo, pero hay que tener coche, eso sí, porque está un poco lejos del centro. Y como casi no hay transporte público...
Entrevistadora: ¿Diría usted que en su barrio hay servicios suficientes?
Tona: Bueno, no está mal. Hay una biblioteca muy grande, dos parques, un centro de salud... Pero no hay muchos colegios ni tampoco tiendas suficientes.
Entrevistadora: ¿Tienen problemas de ruido?
Tona: No, la verdad, porque casi no hay bares. Hay dos cerca de casa, pero cierran a las diez, así que no hay problema.
Entrevistadora: Muy bien, muchas gracias.

Grabación 44

Locutora: A continuación, les ofrecemos la previsión del tiempo para hoy, 15 de junio. En el sur siguen el calor y los cielos despejados, con temperaturas máximas de unos 35 grados en el interior de Andalucía y unos 25 en la zona oeste. En el centro de la Península y en la Comunidad Valenciana, tenemos sol y temperaturas suaves, en torno a los 25 grados. En la zona noroeste peninsular, en Galicia y Asturias, se esperan cielos nubosos y algunas lluvias, pero con temperaturas suaves. En el noreste, en Cataluña, puede haber nubes, pero con poca probabilidad de lluvia.

Grabación 45

1. **Celia:** Perdona, ¿sabes dónde está la calle Mayor?
   Marisa: Sí, está muy cerca, a unos doscientos metros. Sigue esta calle todo recto y gira la primera a la derecha al llegar a un supermercado. Esto... no, no, perdona, es la segunda a la derecha, es una calle muy larga...

Celia: Vale, entonces, sigo esta calle y, después del supermercado, giro la segunda a la derecha, ¿verdad?
Marisa: Sí, eso es.
Celia: Gracias.
Marisa: De nada.
2. **Tomás:** Perdone, ¿para ir a la parada de metro?
Sebastián: Sí, mire, siga hasta la plaza, y ahí está la parada, a unos ciento cincuenta metros.
Tomás: Muchas gracias.
Sebastián: De nada.
3. **Elena:** Perdona, ¿la calle Cervantes es esta?
Luis: No, no es esta. Para ir a la calle Cervantes, coge la segunda a la derecha. Y en el cruce, pregunta.
Elena: ¿Está muy lejos?
Luis: No, pero allí te explicarán mejor el camino.
Elena: Gracias.
Luis: De nada, adiós.

Grabación 46

1. calor
2. abril
3. este
4. sur
5. octubre
6. tormenta
7. sol
8. tiempo
9. atmosférico
10. primavera

Grabación 47

1. hospital
2. parque
3. semáforo
4. parada
5. supermercado
6. banco
7. verano
8. cine

Unidad 8

Grabación 48

Carlos: ¿Que qué hago un domingo normal? Bueno, ahora, en invierno, en casa nos levantamos más tarde que entre semana, cuando se despierta mi hijo pequeño, sobre las nueve y media o las diez. Luego desayunamos todos juntos, tranquilamente. Y después, depende, si hace buen tiempo, vamos a montar en bicicleta por un parque que hay cerca de casa. Otras veces vamos a ver alguna exposición o quedamos con amigos que también tienen niños pequeños. Casi siempre comemos en casa, pero a veces vamos a comer a casa de mis suegros. Y por la tarde, normalmente nos quedamos en casa. Escuchamos música, los niños juegan un rato y hacen los deberes... Y nada más, cenamos y nos acostamos temprano. Los niños, a las ocho y media; mi mujer y yo, a las diez y media o las once.
Rosa: Pues yo los domingos siempre me levanto muy tarde porque casi todos los sábados por la noche salgo a cenar con amigos o a tomar una copa. Entonces, los domingos, me levanto tarde, a las once u once y media. Luego voy a comprar el periódico y a dar un paseo o voy a desayunar a un bar que hay cerca de casa. Después ordeno un poco la casa, leo el periódico y sobre las dos y media como algo ligero: una ensalada y fruta, por ejemplo. Por la tarde, normalmente, hago algo de deporte: voy a correr o a nadar a la piscina. También veo un rato la tele, sobre todo si hay fútbol, que me gusta mucho. Y siempre ceno en casa, porque normalmente me acuesto temprano.

Grabación 49

1. **Ángeles:** Buenos días. ¿El señor Calvo, por favor?
Secretaria: En este momento no se puede poner. ¿Quiere dejarle un mensaje?

Ángeles: Sí, por favor, dígale que ha llamado Ángeles Ruiz, de Comersa.
Secretaria: Muy bien, yo se lo digo.
Ángeles: Gracias.
2. **Camarero:** Restaurante Zarauz, ¿dígame?
Inmaculada: Buenos días. Quería reservar una mesa para dos personas.
Camarero: ¿Para cuándo?
Inmaculada: Para el sábado a las nueve y media.
Camarero: ¿A qué nombre?
Inmaculada: Inmaculada Pelayo.
Camarero: De acuerdo. Queda reservada.
Inmaculada: Muchas gracias.
3. **Recepcionista:** Consulta del doctor Leal. ¿Dígame?
Eugenia: Buenas tardes. Quería pedir hora con el doctor.
Recepcionista: ¿El día tres de abril a las cuatro de la tarde le viene bien?
Eugenia: Sí, perfecto. El día tres a las cuatro de la tarde.
Recepcionista: ¿Me dice su nombre, por favor?
Eugenia: Sí, Eugenia Carrión.
Recepcionista: Muchas gracias.
Eugenia: A usted, buenas tardes.
4. **Quini:** ¿Dígame?
Antonio: ¿Está Isabel?
Quini: No, se ha equivocado.
Antonio: ¡Ah! Perdone.
Quini: Nada, nada.
5. **Claudia:** ¿Sí?
Alberto: Hola. ¿Está Begoña, por favor?
Claudia: No, Begoña no está, ha salido.
Alberto: ¿Puede decirle que la ha llamado Alberto?
Claudia: Sí, sí, yo se lo digo.
6. **Isabel:** ¿Diga?
Luis: Por favor, ¿está Cristina?
Isabel: ¿De parte de quién?
Luis: De Luis.
Isabel: Un momento, ahora se pone.
Luis: Gracias.

Grabación 50

1. lunes
2. escritor
3. planta
4. mapa
5. tranquilo
6. cocina
7. sábado
8. libro
9. botella
10. amigo

Grabación 51

1. puerta
2. poeta
3. caer
4. invierno
5. ahora
6. cien
7. teatro
8. euro
9. Suiza
10. real
11. aire
12. reina
13. veinte
14. estudiáis
15. agua

Unidad 9

Grabación 52

Sara: Mi novio es muy optimista. Es una persona muy divertida y bastante sociable. No es nada tímido.
Mercedes: Mi jefe se llama Enrique y es un hombre muy trabajador, muy inteligente, bastante responsable, comunicativo y muy ordenado, pero un poco impaciente.
Julián: Miguel, mi hijo, es muy creativo, bastante independiente, pero también es algo tímido y un poco nervioso. Y es muy generoso.

Grabación 53

Miguel: Bueno, ¿seguimos?
Clara: Sí, venga.
Miguel: Concha, mi tía.
Clara: Uf, qué difícil...
Miguel: Yo creo que se puede sentar con Pepe y Merche. ¿Sabes quiénes son?
Clara: Sí, los amigos de tus padres, ¿no?
Miguel: Sí, justo. Mira, a Merche le encanta hacer manualidades y a mi tía también. Pepe tiene mucho sentido del humor, sabe contar unos chistes muy buenos y mi tía es una persona muy alegre. Además, Merche sabe cocinar muy bien, y mi tía también cocina muy bien, le gusta mucho. Seguro que tienen de qué hablar.
Clara: Pues ya está. Concha, Merche y Pepe. A ver, podíamos sentar en la misma mesa a unos amigos de mis padres, Azucena y Luis. Lo que pasa es que Luis es muy serio y tiene muy poco sentido del humor.
Miguel: No sé, yo no los conozco. Tú decides...
Clara: Bueno, Azucena es muy simpática, un poco habladora, sí, pero yo creo que pueden estar muy bien con tu tía, Merche y Pepe.
Miguel: Estupendo, entonces, Luis y Azucena con Concha, Merche y Pepe. Seguimos. Vamos a ver... Alfredo, Julián y Agustín.
Clara: ¿Vienen solos?
Miguel: Sí, vienen sin acompañante.
Clara: Ya está. En la mesa de Camilla y Sarah. Porque ellos saben hablar inglés, ¿no?
Miguel: Sí, sí, hablan muy bien. De todas formas, Camilla y Sarah también hablan bien español. Oye, todos trabajan en el mismo campo, ¿no?
Clara: Sí, Camilla y Sarah trabajan en un despacho de abogados.
Miguel: De acuerdo. Además mis amigos bailan muy bien.
Clara: Bueno, que yo sepa, Camilla y Sarah no saben bailar, pero bueno…
Miguel: No importa, se lo van a pasar muy bien, ya verás. Alfredo, Julián y Agustín tienen mucho sentido del humor, sobre todo Agustín.
Clara: ¡Perfecto! Entonces, Sarah, Camilla, Alfredo, Julián y Agustín. Y ahora...

Grabación 54

1. **Ana:** Disculpe, por favor, ¿puede ayudarme con la maleta?
   Jesús: Sí, claro.
2. **Félix:** ¿Puedes prestarme el diccionario un momento, por favor?
   Carmen: Lo siento, pero es que ahora lo estoy utilizando.
   Félix: Bueno, no pasa nada.
3. **Pedro:** ¿Puede darme un folleto con las actividades del museo, por favor?
   Santiago: Sí, por supuesto.
4. **Lucas:** Por favor, ¿puede darme un vaso de agua?
   Lourdes: Sí, claro. Aquí tiene.
5. **Emma:** ¿Puedes dejarme un bolígrafo, por favor?
   Leandro: Un momento, voy a ver si tengo otro. Sí, mira, tengo este, pero es rojo.
   Emma: No importa. Muchas gracias. Después de la clase te lo devuelvo.
6. **Gabriela:** ¿Qué te pasa?
   Blanca: Es que tengo mucho trabajo.
   Gabriela: ¿Te ayudo?
   Blanca: Ay, sí, muchas gracias.

Grabación 55

1. ¿Has perdido alguna vez algo importante?
2. Jaime y yo hemos estado tres veces en París.
3. ¿Habéis visto *Casablanca*, la película de Bogart?
4. Mi madre ha escrito varios libros de viajes.
5. No he estado nunca en Brasil.
6. Agustín y Blanca han hecho un viaje por el Caribe.
7. ¿Habéis cambiado muchas veces de casa?
8. Mis hijos siempre han sido muy buenos estudiantes.

Grabación 56

1. ¡Tiene miedo!
2. ¿Tiene miedo?
3. Tiene miedo.

Grabación 57

1. ¿No estás nerviosa?
2. ¿Habéis estado en Australia?
3. Nunca ha montado en avión.
4. ¡Se ha casado cinco veces!
5. ¡Han roto el aparato de música!
6. Estáis muy cansados.

Grabación 58

1. ¿Sabe cocinar?
2. No tienes sentido del humor.
3. ¡Han suspendido el examen!
4. Es un chico muy tímido.
5. ¡Es muy simpático!
6. ¿Nunca has probado la comida japonesa?
7. ¿Todavía no habéis llamado a Julia?
8. Son muy desordenados.

Grabación 59

1. toalla
2. yate
3. medalla
4. yogur
5. paella
6. mayonesa
7. calle
8. apellido
9. mayúscula
10. ayuda
11. castillo
12. lleno

Grabación 60

Emilia: ¿Sabes, Marga? He empezado a ir al gimnasio.
Marga: ¡Qué bien! ¡Por fin te has decidido! ¿Y qué tal?
Emilia: Muy bien. Estoy encantada. Voy dos veces por semana, de ocho a nueve, después del trabajo; los martes y los jueves.
Marga: ¿Y qué tal?
Emilia: Muy bien. He aprendido a hacer ejercicios de relajación y me gusta mucho.
Marga: ¿Hacen gimnasia?
Emilia: Sí, pero no gimnasia con aparatos. Tenemos una profesora que nos va indicando qué ejercicios tenemos qué hacer. Hacemos media hora de gimnasia y media de natación.
Marga: ¡Qué bien!
Emilia: Y los que no saben nadar muy bien, hacen ejercicios para mejorar su estilo.
Marga: Pues eso me interesa, porque yo sé nadar, pero no muy bien. ¿Sabes si hay clases por la tarde?
Emilia: Sí, creo que son de siete y media a nueve y media de la noche.
Marga: Pues a ver si me acerco un día y me apunto.
Emilia: Claro, anímate, así iríamos juntas a clase.

Unidad 10

Grabación 61

1. **José Luis:** A mí, este verano, me gustaría ir a Laponia.
   Arancha: ¿A Laponia? María estuvo hace unos años.
   José Luis: ¿Y qué tal?
   Arancha: Fatal. Según me contó, fue un viaje horrible: muy mal organizado.
2. **Gema:** Y vosotros, Lola, ¿dónde fuisteis de viaje de novios?
   Lola: Fuimos a Kenia.
   Gema: ¡A Kenia! ¿Y qué tal?
   Lola: Maravilloso. Fue un viaje inolvidable.
3. **Alberto:** El domingo estuvimos comiendo en Casa Vallecas.
   Julio: ¿Y qué tal?
   Alberto: Muy bien. Fue una comida estupenda. Nos encantó.
4. **Victoria:** ¿Has visto la exposición de la Fundación Arte?
   Sebastián: Sí, estuve hace un par de fines de semana.
   Victoria: ¿Y qué tal?
   Sebastián: Uf, regular. Algunos cuadros me encantaron, pero, en general, no me gustó mucho.

Grabación 62

1. Llego todos los días al trabajo sobre las ocho.
   Mi marido llegó ayer a casa a las nueve de la noche.
2. Hablo un poco de portugués.
   El otro día Miguel habló con su jefe.
3. Ana, mira, te presento a Cati, mi hermana.
   El sábado Cristina nos presentó a su novio.
4. Normalmente ceno muy poco: una ensalada y fruta.
   Ayer mi hija cenó mucho y luego no durmió bien.
5. A mi madre, siempre le llevo unas flores.
   Marisa fue a ver a su tía y le llevó unas flores.
6. Ahora trabajo por la mañana y estudio por la tarde.
   Hugo estudió dos años en Londres.

Grabación 63

1. **M.ª José:** Juana, me han dicho que el domingo fue tu cumpleaños. ¡Muchas felicidades!
   Juana: Sí, gracias. He traído unos pasteles. Coge uno, anda.
   M.ª José: ¡Gracias! Oye, cuéntame, ¿qué tal la celebración?
   Juana: Bueno, normal. Hice una comida con la familia, vamos, lo típico.
   M.ª José: ¿Pero os lo pasasteis bien?
   Juana: Sí, fue divertido, pero nada especial, lo de todos los años.
2. **Juan:** María, Julián y tú estuvisteis en Praga el año pasado, ¿verdad?
   María: Sí, estuvimos en primavera. Y nos encantó. Es una ciudad preciosa. ¿Vais a ir?
   Juan: Sí, vamos el fin de semana que viene.
   María: Pues seguro que os gusta. El único problema es que siempre hay muchos turistas.
3. **Rafa:** Y tú, Rosa, ¿qué tal el fin de semana?
   Rosa: Uf, regular... porque estuvo lloviendo todo el fin de semana. Hizo mucho frío, así que no salimos. Estuvimos en casa sin hacer nada.
4. **Luis:** ¿Qué tal ayer en Barcelona?
   Clara: Regular, la verdad...
   Luis: ¿Ah, sí? ¿Y eso?
   Clara: No sé, pero, de repente, surgieron muchos problemas, y por la tarde tuvimos una reunión que resultó muy complicada, muy tensa y larguísima. Perdimos el avión y tuvimos que esperar dos horas en el aeropuerto. Llegamos a la una de la madrugada... Estoy agotada.

Unidad 11

Grabación 64

Locutor: Hoy tenemos la suerte de poder hablar con Alejandro Panza, un gran músico que seguro que todos nuestros oyentes conocen. Bienvenido, Alejandro, ¿qué tal?
Alejandro: ¡Hola! Pues encantado de estar con vosotros.
Locutor: Yo te sigo desde tus inicios como cantante y a lo largo de estos años tu estilo ha cambiado mucho, ¿verdad?
Alejandro: Pues sí... Acuérdate de los 70. Era la primera época del *rock* duro.
Locutor: ¿Qué recuerdos tienes de entonces?
Alejandro: Muy buenos, la verdad es que fue una buena época. Yo cantaba y tocaba la guitarra en los *Escarabajos Verdes*, así se llamaba el grupo. Tocábamos *rock* duro, *heavy metal* y cantábamos en inglés porque pensábamos que vendía más. Y, claro, llevábamos cazadoras de cuero, ropa negra, el pelo largo...
Locutor: Erais muy buenos, recuerdo que vendíais muchos discos. Pero después hubo unos años en los que no supimos nada de vosotros.
Alejandro: Sí, el grupo se disolvió, porque teníamos gustos musicales distintos y queríamos hacer otras cosas.
Locutor: Y después apareciste otra vez, con un gran cambio en tu música. ¿Puedes comentarlo?
Alejandro: Sí, claro. En los 80 monté un grupo de *rock*, se llamaba *Los de aquí*. Era un *rock* más clásico, más puro. Cantábamos en español y las letras de las canciones eran muy divertidas. Hacíamos muchos conciertos y lo pasábamos muy bien.
Locutor: Y, otra vez, un cambio de aspecto...
Alejandro: Uy, sí. Llevábamos la ropa que estaba de moda entonces, de muchos colores. Y el pelo corto. Vamos, todo lo contrario a la época anterior.
Locutor: Y después, ¿qué pasó? Porque has estado más de cinco años sin sacar un disco ni hacer conciertos.
Alejandro: Nada, que necesitaba un descanso. Estuve mucho tiempo viajando y conociendo otros tipos de música, experimentando...
Locutor: Ahora has sacado el segundo disco con tu grupo, *La hormiga*, con un estilo totalmente distinto. ¿Por qué este cambio?
Alejandro: Bueno, ahora soy más mayor... He descubierto la música electrónica y ahora me dedico a componer y a tocar con mi grupo: *La hormiga*. Hacemos música instrumental. Pero no he cambiado tanto, ahora me visto otra vez de negro.
Locutor: ¿Cuándo podremos escuchar vuestro nuevo disco?
Alejandro: Pues si no me equivoco, sale a la venta a finales de mes. ¡Esperamos que os guste!
Locutor: Seguro que sí. Muchas gracias por haber venido, Alejandro. Ha sido un placer tenerte hoy con nosotros. Y mucha suerte con el disco.
Alejandro: Gracias a vosotros.

Grabación 65

Sonia: Te veo triste... Qué mala cara tienes, Laura, ¿qué te pasa?
Laura: Sí, estoy fatal, la verdad. Es que creo que Felipe y yo nos vamos a separar.
Sonia: ¿De verdad? Yo creía que estabais muy bien.
Laura: Antes sí, pero llevamos dos años con problemas. Felipe trabaja mucho más que antes. Yo también trabajo mucho, pero intento organizarme para estar con mi familia. Pero él, nada: solo piensa en el trabajo. Además, los niños necesitan más atención que antes, están en una edad difícil, en plena adolescencia, y hay que dedicarles más tiempo, hablar con ellos...

Sonia: Uy, chica, te veo muy triste.

Laura: Sí, es que de jóvenes teníamos tantos planes... Íbamos a ser mejores padres que nadie, mejor pareja que nadie, más organizados que los demás. Pensábamos que no íbamos a cambiar tanto como otras parejas.

Sonia: Pero, Laura, ¿tú lo quieres?

Laura: Sí, mucho.

Sonia: ¿Entonces?

Laura: No sé... ¿Tú crees que podemos volverlo a intentar?

Sonia: Yo creo que sí. Vamos, yo no conozco pareja más estupenda que vosotros. A lo mejor es solo una crisis.

Laura: No sé, quizá. ¿Quién sabe? Igual tienes razón.

Grabación 66

1. cuchara
2. derecha
3. chimenea
4. chorizo
5. Chile
6. ficha
7. escuchar
8. chaqueta

Unidad 12

Grabación 67

Entrevistadora: Elena, hábleme usted de su experiencia profesional.

Elena: En el año 2004 acabé la carrera y ese verano trabajé como becaria en el departamento de *marketing* de la empresa eléctrica Watts.

Entrevistadora: ¿Cuál era su función exactamente?

Elena: Ayudaba al jefe de *marketing* en una promoción de captación de nuevos clientes que realizamos en los meses de verano.

Entrevistadora: Ah, sí, muy bien. Continúe, por favor.

Elena: Sí, en el año 2005 trabajé haciendo prácticas en el departamento de atención al cliente del hospital La salud. Y el verano pasado viajé a Ecuador y Bolivia para trabajar como cooperante en un proyecto de cultivos ecológicos.

Entrevistadora: ¿Y por qué se ha interesado usted por este puesto de trabajo?

Elena: Principalmente porque he estudiado la especialidad de *marketing*, pero también porque me gustaría mucho desarrollar una carrera internacional y salir al extranjero.

Entrevistadora: De acuerdo. Pues muchas gracias, Elena. Quiero decirle que ha superado usted la entrevista con el departamento de personal. La próxima entrevista la tendrá la semana próxima con el jefe del departamento de *marketing*.

Elena: Muchas gracias.

Entrevistadora: A usted. Adiós, buenas tardes.

Elena: Adiós.

Grabación 68

Alberto: Durante las dos primeras semanas tienes que conocer todos los departamentos de la empresa. No tienes que conocer a todo el mundo, pero sí es importante que sepas cómo está organizada la empresa desde el principio.

Elena: Sí, claro.

Alberto: Al director de *marketing* ya lo conoces, ¿verdad?

Elena: Sí. Me entrevistó hace unos días y he tenido una reunión con él esta semana.

Alberto: De acuerdo. Ah, debes ser puntual, aquí son muy exigentes con eso.

Elena: Vale, no hay problema. Normalmente nunca llego tarde.

Alberto: A ver, más cosas... Sí, mira, tienes que visitar a los principales clientes de la empresa, pero, tranquila, porque no tienes que presentar resultados hasta el final del segundo semestre. Puedes conocerlos poco a poco.

Elena: Bien.

Alberto: Ah, y también tienes que crearte tu dirección de correo. Habla con Diego, de informática, para que lo prepare lo antes posible. Es la extensión 9565.

Elena: Lo apunto, un momento. Diego, 9565. Ya está. ¿Qué más?

Alberto: Bueno, esto es todo, de momento. Oye, y no te preocupes, que ya irás conociendo la empresa poco a poco. No te pongas nerviosa y pregunta todo lo que necesites, ¿de acuerdo?

Elena: Sí, gracias, Alberto.

Alberto: De nada, Elena. Y bienvenida.

Grabación 69

1. Ana – ama
2. maná – mamá
3. mano – maño
4. loma – lona
5. remo – reno
6. caña – cama
7. nulo – mulo
8. nido – mido
9. rana – rama
10. pena – peña

Grabación 70

1. Ana
2. mamá
3. mano
4. lona
5. reno
6. caña
7. nulo
8. mido
9. rama
10. peña

Soluciones

Unidad 0

1.a
Dubois, Caroline
Doherty, Robert
Durão, Hugo
Siepi, Luigi
Harada, Naoko

1.b
Caroline Dubois es de Francia y vive en Lyon.
Hugo Durão es de Brasil y vive en São Paulo.
Robert Doherty es de Irlanda y vive en Londres.
Luigi Siepi es de Italia y vive en Roma.
Naoko Harada es de Japón y vive en Tokio.

1.c
Italia: italiano, italiana
República Checa: checo, checa
Brasil: brasileño, brasileña
Canadá: canadiense
Irlanda: irlandés, irlandesa
Austria: austriaco, austriaca
Estados Unidos: estadounidense
Alemania: alemán, alemana

2
1-b; 2-a; 3-e; 4-c; 5-d.

3.a
1. (tú) te llamas
2. (yo) me llamo
3. (tú) eres
4. (yo) voy
5. (ella) vive
6. (tú) estudias
7. (él) es
8. (ella) se llama
9. (yo) vivo
10. (él) escribe
11. (tú) hablas
12. (yo) estudio

4.a
1. ¿Te llamas Juan?
2. ¿Cómo se llama tu profesora?
3. ¿Qué lenguas hablas?
4. ¿Cómo se llama esto en español?
5. ¿Para qué estudias español?
6. ¿Eres Isabel?
7. ¿Dónde vives?
8. ¿Cómo se escribe tu nombre?
9. ¿Qué significa *aula*?
10. ¿De dónde eres?

5
la paella: española
la *pizza*: italiana
el *sushi*: japonés
el cuscús: marroquí
el vodka: ruso
la samba: brasileña
el fado: portugués
el tango: argentino
la cerveza Guinness: irlandesa
el queso Roquefort: francés

6.a

7
1. las mochilas
2. la mesa
3. el póster
4. los libros
5. el cuaderno
6. la goma
7. el diccionario
8. el papel
9. el rotulador
10. las sillas
11. la profesora
12. la pizarra
13. el ordenador
14. el móvil
15. los bolígrafos
16. los compañeros
17. el estuche
18. la papelera

8.a
1. Karen, Said y Damon.
2. Son sus apellidos.
3. Del Reino Unido, Marruecos y Estados Unidos.
4. En Hasting, Barcelona y Nueva York.
5. Said.
6. Para hacer un máster en España.
7. Said.

9
1. ¡Hola! Buenos días.
2. ¡Hasta mañana!
3. ¡Hola! ¿Qué tal?
4. ¡Buenas noches!

10
1. Hasta mañana.
2. Hasta luego.
3. ¿Cómo estás?
4. Hasta luego.
5. Hasta mañana.
6. ¡Muy bien! ¿Y tú?

12
1. London: Londres
2. New York: Nueva York
3. Paris: París
4. Dublin: Dublín
5. Beijing: Pekín
6. Genève: Ginebra
7. Milano: Milán
8. New Delhi: Nueva Delhi
9. Firenze: Florencia
10. München: Múnich

13
1. Chile
2. Bolivia
3. Ecuador
4. Honduras
5. Cuba
6. Uruguay
7. Colombia
8. Argentina

14
1. ¿Cómo se llama esto en español?
2. ¿Eres portugués?
3. *Thank you* se dice *gracias* en español.
4. ¿Marysse se escribe con dos eses?
5. Vives en Nueva York.
6. ¿Qué significa *despedirte*?
7. El español se habla en muchos países.
8. ¿De dónde eres?
9. Vivianne se escribe con uve y con dos enes.
10. ¿Dónde vive Ludovic?

Autoevaluación

1
Nacionalidad: brasileño
Lugar de residencia: São Paulo
Lenguas que habla: portugués y español
¿Para qué aprende español?: Para viajar y para trabajar.

Nacionalidad: italiano
Lugar de residencia: Roma
Lenguas que habla: italiano, inglés y español
¿Para qué aprende español?: Para viajar.

2
1. pizarra
2. casa
3. escuela
4. mochila
5. cuaderno
6. japonés

3
1-b; 2-c; 3-a; 4-a; 5-b; 6-c.

Unidad 1

1
arquitecto; vendedor; ingeniero; dentista; profesor;
abogado; médico; estudiante.

2.a
1. Se llama Mario, se apellida Vargas Llosa y es escritor.
2. Se llama Alejandro, se apellida Amenábar y es director de cine.
3. Se llama Javier, se apellida Bardem y es actor.
4. Se llama Shakira Isabel, se apellida Mebarak y es cantante.
5. Se llama Fernando, se apellida Botero y es pintor y escultor.
6. Se llama Montserrat, se apellida Caballé y es cantante de ópera.
7. Se llama Salma, se apellida Hayek y es actriz.
8. Se llama Juan Carlos, se apellida Ferrero y es deportista.

3
Misako: Es médica.
Flavio: Es dentista.
Alan: Es profesor de inglés.

4
me apellido; te dedicas; estudio; tienes; hablas; Hablo; es.

5.a
Christian escribe para saber qué actividades ofrece la escuela.

5.b
Verbos que terminan en -AR: llamarse; hablar; estudiar; solicitar.
Verbos que terminan en -ER: leer; hacer.
Verbos que terminan en -IR: vivir; escribir.

5.c

	ESTUDIAR	LEER	ESCRIBIR
(yo)	estudio	leo	escribo
(tú)	estudias	lees	escribes
(él, ella, usted)	estudia	lee	escribe

6.a
1-a; 2-c; 3-b; 4-a.

7
1. ¡Hola! ¿Cómo te llamas?
2. ¿Es usted inglés?
3. ¡Hola! ¿Qué tal?
4. Perdona, ¿puedes repetir?

8
Este; este; Esta; esta.

9.a
Nombre: Catherine
Apellidos: Bledsoe
Fecha de nacimiento: 6-7-1951
Dirección: c/ Aguirre, n.º 9
Ciudad: Madrid
Código postal: 28009
País: España
Teléfono: 91 581 46 46
Correo electrónico: cathy@madrid.es

10

	Tú	Usted
1. ¿Cómo te llamas?	X	¿Cómo se llama?
2. ¿Se apellida Bledsoe?	¿Te apellidas Bledsoe?	X
3. Por favor, ¿cuál es su número de teléfono?	Por favor, ¿cuál es tu número de teléfono?	X
4. Encantado de conocerlo.	Encantado de conocerte.	X
5. ¿Cuál es tu fecha de nacimiento?	X	¿Cuál es su fecha de nacimiento?

	Tú	Usted
6. Es de Michigan, ¿verdad?	Eres de Michigan, ¿verdad?	X
7. ¿Puede repetir?	¿Puedes repetir?	X
8. ¿A qué te dedicas?	X	¿A qué se dedica?

11.a
1. Treinta por tres más dos = noventa y dos
2. Seis más ocho más doce = veintiséis
3. Diez por siete más uno = setenta y uno
4. Sesenta más cinco menos dos = sesenta y tres
5. Treinta entre dos = quince

12
1. 77   4. 76   7. 28
2. 15   5. 65   8. 7
3. 97   6. 50   9. 56

13
1. ¿Cuándo es tu cumpleaños?
2. ¿Cuál es tu número de teléfono móvil?
3. ¿Cuál es tu dirección de correo electrónico?
4. ¿Qué día es el cumpleaños de Didier?
5. ¿Cuál es su fecha de nacimiento?
6. ¿Cuántas páginas tiene el libro de español?
7. ¿Cuántos estudiantes hay en tu clase?

14
Gudrun Caspar
c/ Cuarta, n.º 12, 1.º derecha
28012 Madrid

Wolfgang Straub
Avda. de la Paz, n.º 24, 6.º izquierda
28033 Madrid

Karsten Rincke
Pza. del Alamillo, n.º 9, 7.º izquierda
28002 Madrid

Thomas Warnecke
c/ Jarama, n.º 19, 1.º derecha
28033 Madrid

15.b
1. Esta es la primera unidad del cuaderno de ejercicios.
2. Abril es el cuarto mes del año.
3. El español es la tercera lengua más hablada en el mundo, después del inglés y del chino.

17.b **Ortografía de la c, la q y la k**
El sonido /k/ se representa:
–con la letra q + u, seguida de las vocales e, i.
–con la letra c seguida de las vocales a, o, u.
–con la letra k en palabras que provienen de otras lenguas y en las que empiezan por kilo-.

17.c
CA: casa; catorce; calle.
CO: compañero; colegio; consonante.
CU: cuarto; cuatro; cuándo; cuál; cuarenta.
QUE: qué.
QUI: quince; quién.

Autoevaluación

1
1. Clases de español, un ciclo de cine, visitas guiadas a los museos de la ciudad y cursos de literatura.
2. Sí.
3. Un máximo de ocho.
4. Sí.
5. Sí. www.hablamos.es
6. Sí.

Unidad 2

1 Escuchar: un diálogo; un texto; una palabra; una oración.
Mirar: un dibujo; una foto.
Relacionar: dos columnas; palabras y dibujos.
Leer: el libro; un diálogo; una palabra; un texto; una oración.
Abrir: el libro.
Escribir: un diálogo; una palabra; un texto; una oración.
Completar: un diálogo; una palabra; un texto; una oración; una tabla; un dibujo.
Subrayar: una palabra; una oración; un texto.

2.a Verdaderas: 2.
Falsas: 1; 3; 4; 5; 6.

3.a **Expresar obligación:** *hay que/tener que*
Cuando presentamos la obligación como algo general, podemos utilizar *hay que* + infinitivo.
Cuando presentamos la obligación como algo personal y decimos a quién va dirigida, podemos utilizar *tener que* + infinitivo.

4.a 1-c; 2-f; 3-a; 4-e; 5-d; 6-b.

5.b Verdaderas: 3; 4; 5.
Falsas: 1; 2.

6.a Escribe sobre la rutina de Lola y su familia.

6.b puedo: poder
empiezo: empezar
tienen: tener
juegan: jugar
pides: pedir

6.c

VERBOS IRREGULARES		
e → ie	o → ue	e → i
EMPEZAR	PODER	PEDIR
(yo) empiezo	puedo	pido
(tú) empiezas	puedes	pides
(él, ella, usted) empieza	puede	pide
(nosotros/as) empezamos	podemos	pedimos
(vosotros/as) empezáis	podéis	pedís
(ellos/as, ustedes) empiezan	pueden	piden

7

8.a 1. Es la una y media.
2. Son las nueve (en punto).
3. Es la una menos veinte.
4. Son las ocho y veinticinco.
5. Son las seis y cuarto.
6. Son las once menos cuarto.
7. Son las dos y media.
8. Son las siete y diez.

8.c ¿Tiene(s) hora?   ¿Qué hora es?   ¿Qué hora tiene(s)?

11 **Los signos de puntuación**
Se escribe **coma (,):**
Para separar los elementos de una enumeración. Por ejemplo: n.º 5.
Para separar el nombre de la persona a la que nos dirigimos. Por ejemplo: n.º 4.
Para hacer una pausa explicativa dentro de una oración. Por ejemplo: n.ᵒˢ 2 y 3.
Se escribe **punto (.):**
– Para marcar una pausa larga entre oraciones. Después del punto, siempre se escribe mayúscula. Se emplea **el punto y seguido** cuando seguimos hablando de un mismo tema, idea o asunto. Por ejemplo: n.º 1.
– Se utiliza **el punto y aparte** cuando se cambia de tema, idea o asunto.
– Siempre se escribe **punto final** cuando se acaba un texto.

Autoevaluación

1 Verdaderas: 1; 3; 4.
Falsas: 2; 5.

2 1-b; 2-b; 3-c; 4-c; 5-a; 6-c.

Unidad 3

1 soy: ser
doy: dar
estoy: estar
salgo: salir
vengo: venir
tengo: tener
digo: decir
hago: hacer

2

	SER	IR
(yo)	soy	voy
(tú)	eres	vas
(él, ella, usted)	es	va
(nosotros/as)	somos	vamos
(vosotros/as)	sois	vais
(ellos/as, ustedes)	son	van

3

```
            7          10
1 P U E D E     8     V
          R     D     A
2 P A R E C E I S
      6   S     C
      T         I
3 Q U I E R E S
      E
4 T E N G O     9
      E         E
5 S O M O S
```

4.a Hablan del novio de Begoña.

4.b Fotografía n.º 3.

5 En el dibujo de la derecha:
– Jaime tiene el pelo rizado.
– Arturo no tiene/lleva gafas.
– Arturo no tiene/lleva barba.

– Arturo tiene/lleva bigote.
– Carmela es morena.
– Carmela es alta.
– Maite tiene/lleva el pelo largo.
– Sonia tiene/lleva el pelo corto.

6.a
1. Ana tiene los ojos marrones y el pelo largo, castaño y muy rizado. Es bajita y lleva gafas.
2. Quiere quedar en el bar que está a la salida de la estación de Atocha, a la izquierda.
3. Quiere quedar a las diez y media.

7.a

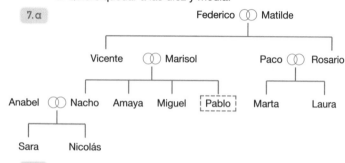

7.b
1. Anabel es la mujer de Nacho.
2. Paco es el marido de Rosario.
3. Rosario es la cuñada de Marisol.
4. Rosario y Paco tienen dos hijas.
5. Nicolás es el hermano de Sara.
6. Vicente y Marisol son los abuelos de Sara y Nicolás.
7. Marta es prima de Nacho.

8
tus; tu; mi; su; sus.

9
1. ¿Quiénes son tus padres?
2. ¿Quién es esta chica?
3. Tu marido, ¿quién es?
4. ¿Quiénes son los hermanos de Alberto?
5. No conozco a esa señora... ¿Quién es?
6. ¿Quiénes son los amigos de Rosa?

11.b Verdaderas: 3.   Falsas: 1; 2; 4.

12.b Verdaderas: 1; 3; 5; 6; 8.   Falsas: 2; 4; 7.

13.b
1. Doce.
2. Doce uvas, una con cada campanada.
3. No, cenan con la familia y después van a una fiesta y otros pasan esa noche con sus amigos.

14.b Palabras con *c:* aceptar; decir; felicitar; hacer; ocio; parecer.
Palabras con *z:* aprendizaje; marzo; rizado; Venezuela.

14.c **Ortografía de la *c* y la *z***
El sonido /θ/ se representa:
– con la letra *c* seguida de las vocales *e, i.*
– con la letra *z* seguida de las vocales *a, o, u.*

14.d C: francés; pronunciación; aceite; cero; conversación; ejercicio.
Z: Suiza; plaza; pizarra; abrazo.

Autoevaluación

1
1. aburrido
2. cumpleaños
3. vago
4. pie
5. uvas
6. novio
7. No puedo

2 Fotografía n.º 1.

3 1-a; 2-b; 3-c; 4-a; 5-b; 6-c.

Unidad 4

1.a un vestido; unos pantalones; una blusa; un abrigo; una cazadora; una falda; un jersey; unas botas; una chaqueta.

1.b
1. Sí, lo compran.
2. No, no los compran.
3. No, no la compran.
4. No, no lo compran.
5. No, no la compran.
6. Sí, la compran.
7. No, no las compran.
8. Sí, la compran.

3.a Verdaderas: 1; 2; 3.   Falsas: 4; 5; 6.

4.a Fotografía n.º 1: diálogo 2
Fotografía n.º 2: diálogo 3
Fotografía n.º 3: diálogo 1

4.b
1. La mujer prefiere las tiendas pequeñas por la relación con los dependientes.
2. El hombre prefiere los grandes almacenes por los horarios.
3. La chica prefiere los centros comerciales porque son más cómodos.

5.a

	QUERER	PREFERIR	CERRAR
(yo)	quiero	prefiero	cierro
(tú)	quieres	prefieres	cierras
(él, ella, usted)	quiere	prefiere	cierra
(nosotros/as)	queremos	preferimos	cerramos
(vosotros/as)	queréis	preferís	cerráis
(ellos/as, ustedes)	quieren	prefieren	cierran

5.b
1. Quieres; prefiero
2. Preferís; preferimos
3. quieres; prefiero; queréis
4. quieres; prefiere

6
1. 108,90 €
2. 500,80 €
3. 200,50 €
4. 105,99 €
5. 432 €
6. 16,40 €

7.a
1. El libro tiene quinientas páginas.
2. El frigorífico cuesta quinientos euros.

7.b
1. Trescientos kilómetros.
2. Doscientas personas.
3. Setecientas millas.
4. Novecientos treinta y cuatro euros.
5. Cuatrocientos dólares.
6. Ochocientos pesos.

7.c 1-c; 2-a; 3-d; 4-b; 5-e.

7.d Cero coma cinco kilómetros.
Doscientos cuarenta minutos.
Trescientos sesenta y cinco días.
Cuatrocientos ochenta segundos.
Mil metros.

8
1. Blanco
2. Naranja
3. Marrón
4. Rojo
5. Verde
6. Azul
7. Amarillo
8. Negro
9. Rosa

9.a Compra unos pantalones.

9.b 1-c; 2-g; 3-e; 4-b; 5-d; 6-a; 7-f.

10
1. ayudarla; probar; talla
2. me queda; necesito; me la llevo
3. cuánto cuesta
4. tarjeta

11.b
1. septiembre
2. hombre
3. séptimo
4. página
5. objeto
6. sobre
7. copa
8. cuerpo
9. despacio
10. pasta
11. buen
12. árbol

12
1. Por qué; Porque
2. Por qué; Porque
3. por qué; Porque
4. por qué; Porque
5. porque
6. Por qué; porque

Autoevaluación

1
1-g; 2-e/o; 3-c; 4-ñ; 5-j; 6-i; 7-e/o; 8-f; 9-h; 10-k; 11-a; 12-m; 13-d; 14-b; 15-l; 16-n.

Unidad 5

1
1. (A mí) me encantan las lentejas.
2. (A ti) te gustan mucho las manzanas.
3. (A él, ella, usted) le gusta bastante el queso.
4. (A nosotros/as) nos gusta la pasta.
5. (A vosotros/as) no os gustan las sardinas.
6. (A ellos/as, ustedes) no les gusta nada la leche.

3.a
1. lata
2. caja
3. botella
4. bolsa
5. media docena
6. bote

3.b
kilo; un cuarto; un; tres.

4
ÑOFFÑGDPIXE<u>TENEDOR</u>CUCHOSDL<u>CUCHARA</u>TE
LASERVIETA<u>PLATO</u>REDONN<u>CUCHILLO</u>NBLSJ
EIA<u>SERVILLETA</u>ZOFMENMBASDIOQSLLIE<u>VASO</u>OA
ESJUQUE<u>COPA</u>ASNCPDOXNDLSAKRFDUOKVJNSC
JDLVCNSLAÑDEPO<u>MANTEL</u>PLEISSEF

5
1. Me gustan mucho estas copas.
Sí, son muy bonitas.
2. ¿Vienes mucho a este restaurante?
Sí, me gusta mucho. La comida es muy buena.
3. Tengo hambre... Quiero comer... ¡mucho y rápido!
Entonces vamos a un restaurante que conozco que está muy cerca.
4. Voy a tomar solo un plato, el segundo. No quiero comer mucho.
Pero es muy poco. ¿Y si pedimos también una ensalada para los dos?
5. No comes... ¿Es que no te gustan las lentejas?
No, no mucho.

6.a
Deciden ir al asador Sobrino de Botín.

6.b
Verdaderas: 1; 3.   Falsas: 2.

7.a
1. Dos.
2. Ensalada y sopa.
3. Filete con patatas y merluza a la romana.
4. Tarta de limón.
5. Vino y agua mineral.

8.a
Primeros: Consomé. Ensalada de la casa. Sopa de ajo.
Segundos: Merluza en salsa. Lasaña. Filete de ternera (con patatas fritas o ensalada).

Postres: Flan de la casa. Tarta casera de queso. Fruta del tiempo.
Bebida: Vino tinto de la casa. Agua mineral (con gas/sin gas).

8.b
1. Diez euros.
2. Sí.
3. Ella toma una ensalada de la casa y un filete con patatas fritas y él toma sopa de ajo y lasaña.

9
Camarero: 4; 6; 8.
Cliente: 1; 2; 3; 5; 7.

10.a
Carne: ternera; cordero; pollo.
Pescado: salmón; merluza; sardina.
Legumbres: garbanzos.
Fruta: plátano; fresa; sandía.
Verduras y hortalizas: lechuga; cebolla; tomate; pimiento.

11.a
1. Una responsable del Ministerio de Sanidad y Consumo.
2. Una mujer que dirige una casa rural.

11.b
1. No hay que suprimir comidas, hay que distribuirlas y comer tres o cuatro veces al día. Y hay que dar más importancia al desayuno.
2. Hay que tomar productos naturales y comer de todo, aunque de forma moderada.

12.a
Llama a la consulta del médico.

12.b
1. Le duele mucho el estómago.
2. Mañana a las siete.
3. Dentro de media hora, porque un paciente no puede ir a la consulta.

13.a
le pasa; Me duelen; me encuentro; Tiene fiebre; Le duelen; Le duele; estoy cansado; Está nervioso; se encuentra.

15.b **Ortografía de la r**
– Con sonido débil, entre vocales, se escribe r.
– Con sonido fuerte, entre vocales, se escribe rr.
– Con sonido débil, al final de sílaba o tras las consonantes b, c, d, g, k, p y t formando sílaba con ellas, se escribe r.
– Con sonido fuerte, en inicio de palabra, se escribe r.
– Con sonido fuerte, tras las consonantes n, s y l, se escribe r.

16
1. cuchara
2. servilleta
3. azúcar
4. cerrar
5. zanahoria
6. restaurante
7. barato
8. refresco
9. merluza
10. postre
11. ración
12. parrilla

Autoevaluación

1
1-b; 2-e; 3-a; 4-c; 5-d.

2
1. No quedan hoy.
2. Propone quedar hoy para cenar.

3
1-c; 2-a; 3-a; 4-a.

Unidad 6

1.a
Un florero y una copa.

2
TAMAÑO: es grande; es enorme; es mediano/a; es pequeño/a.

FORMA: es alargado/a; es ovalado/a; es redondo/a; es rectangular; es cuadrado/a.
MATERIAL: es de algodón; es de cristal; es de plástico; es de seda; es de madera.

4.a 1. Esta es la lista de Ángela y Luis.
2. Esta es la lista de Laia.

4.b mía; vuestra; nuestra; mía; suyo; mío; mío; mío; nuestros; tuyos; míos; suyos; tuyos; míos; vuestras; mías.

5 Dibujo 1: Mira estos abrigos de aquí.
Dibujo 2: ¿Vemos esos de ahí?
Dibujo 4: ¿Vamos a ver aquellos?

6 1. Qué; qué   3. Qué; cuál   5. Cuáles
2. Qué   4. qué   6. Qué

7 1-f; 2-e; 3-c; 4-d; 5-a; 6-g; 7-h; 8-b.

8.a El apartamento está en la zona de la universidad.
Tiene salón, una habitación, baño y cocina americana.
Tiene calefacción y aire acondicionado.
Cuesta 100 000 euros.

El piso está en la calle Miguel Servet. Tiene tres habitaciones, salón, cocina, aseo y dos baños. Tiene calefacción central y plaza de garaje opcional.
Cuesta 600 euros al mes.

8.b La fotografía corresponde al anuncio 2.

10 Verdaderas: 1; 2; 4; 5.   Falsas: 3; 6.

11.a Un teléfono móvil.

11.b Para bloquear el teclado: Aprietas la tecla azul. Aprietas la tecla asterisco.

Para escuchar los mensajes: Marcas el 133. Pulsas la tecla de llamada. Escuchas las opciones que hay en el menú principal. Pulsas el número de la opción que quieras.

12.c **Ortografía de la g y la j**
– La letra *j* siempre representa el sonido /x/, por ejemplo, *hija*, *objeto*, *vajilla*, *joven*, *juego*.
– La letra *g* representa el sonido /g/, como en *gafas*, *gorro*, *lengua*, cuando va seguida de las vocales *a*, *o*, *u*.
– La letra *g* representa el sonido /x/, como en *congelador* y *página*, seguida de las vocales *e*, *i*.
– La letra *g* representa el sonido /g/, como en *juguete* y *guisante*, cuando entre las vocales *e*, *i* está la vocal *u* (que no se pronuncia).
– En algunas palabras, como *cigüeña* o *pingüino*, la vocal *u* de *güe*, *güi* sí se pronuncia, y se indica con un signo ortográfico: la diéresis.

12.d Con sonido /g/: yogur; portugués; galleta; guinda.
Con sonido /x/: agenda; hijos; naranja; tarjeta.

Autoevaluación

1 Verdaderas: 1.   Falsas: 2; 3.

2 1-b; 2-a; 3-b; 4-c; 5-b; 6-c.

Unidad 7

1 1. está; está; está/hay
2. hay; hay; está
3. está; hay; está; Está

3.a El texto trata sobre los cambios que ha experimentado el barrio del Raval.

3.b Hay un colegio, un museo de arte contemporáneo, un convento, un espacio con bares y zonas donde tomar algo al aire libre, un mercado con dos bares muy conocidos y muchas tiendas de discos.

4.a Persona 1. Vive en el casco antiguo:
Es un barrio muy animado.
Está en el centro de la ciudad. Está bien comunicado.
Tiene muchos servicios: tiendas, restaurantes, cines, colegios… Hay varias líneas de metro y autobús por la zona. Hay muchos bares y mucho ruido. No hay muchos parques ni zonas verdes.

Persona 2. Vive en el Barrio Blanco:
Es muy tranquilo.
Está un poco lejos del centro.
Hay una biblioteca, dos parques y un centro de salud.
Casi no hay transporte público. No hay muchos colegios ni tiendas suficientes. No hay mucho ruido, porque casi no hay bares.

5 1. Hace calor.   4. Hay tormenta.
2. Está nublado.   5. Llueve.
3. Hace mal tiempo./Llueve.   6. Hace sol.

6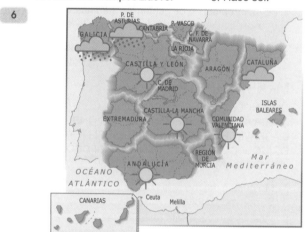

7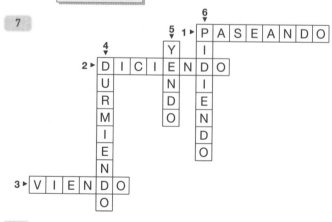

8 En el dibujo de la derecha:
La mujer está montando en bicicleta.
La chica está paseando y escuchando música.
El chico está hablando por teléfono.
Los hombres están hablando con un policía.

9.a En La Paz están estudiando.

En Bilbao están trabajando.
En Pekín están cenando.
En Melbourne están durmiendo.

10.a 1. Tú   2. Usted   3. Tú

10.b

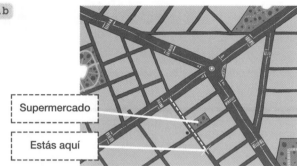

Supermercado

Estás aquí

11 Perdone; siga; coja; crúcela; gire.

12 Mil novecientos noventa y seis, dos mil cinco, tres millones ciento cincuenta y cinco mil trescientos cincuenta y nueve, un millón quinientos mil, doscientas, mil cuatrocientas.

13.a Monosílabas: sur, sol.
Bisílabas: calor, abril, este, tiempo.
Trisílabas: octubre, tormenta.
Polisílabas: atmosférico, primavera.

14.a **Tipos de sílabas en español**

En español, todas las sílabas tienen que tener una vocal. Las sílabas pueden acabar en vocal o en consonante. Las combinaciones más frecuentes son:
– consonante + vocal (por ejemplo, *casa*, *calor*, *otoño*)
– consonante + vocal + consonante (por ejemplo, *cantar*, *despejado*, *tormenta*)
– consonante + consonante + vocal (por ejemplo, *regla*, *febrero*, *primavera*)
– vocal + consonante (por ejemplo, *alto*, *octubre*, *este*)

14.b 1. hos-pi-tal   5. su-per-mer-ca-do
2. par-que   6. ban-co
3. se-má-fo-ro   7. ve-ra-no
4. pa-ra-da   8. ci-ne

Autoevaluación

1 Es; está; está; hay; Hay; es; a; está; Es; más; que; Está; tanta; como; hace; hace; tanto; como; Llueve; está.

2 1-b; 2-b; 3-b; 4-c; 5-a; 6-a.

Unidad 8

1.a levantarse   dormir la siesta
desayunar   cenar
escuchar música   acostarse
maquillarse   cocinar
hacer la compra

2.a desayunar en casa   acostarse pronto
levantarse tarde   hacer deporte
ver una exposición   ver la televisión
comer con la familia   desayunar en un bar
nadar   montar en bicicleta
escuchar música

2.b Carlos: 1; 3; 5; 6; 7; 10.
Rosa: 1; 2; 4; 8; 9; 10.

3 1. En un museo; en una galería de arte.
2. En una plaza de toros; en un teatro.
3. En un polideportivo; en un estadio.
4. En un centro comercial; en un gran almacén.
5. En el campo.

4 1. es   3. está   5. está
2. es   4. es   6. está

5.a Texto 1: fotografía n.º 2. Texto 2: fotografía n.º 3.
Texto 3: fotografía n.º 5. Texto 4: fotografía n.º 1.
Texto 5: fotografía n.º 4.

6 1. Me; me; te   3. le   5. os
2. les; Os   4. me; le   6. te

7 1-b; 2-a; 3-d; 4-c; 5-e.

8 1. ¿Dónde quedamos?
2. ¿A qué hora/cuándo quedamos?
3. ¿Qué día/cuándo quedamos?
4. ¿Cómo quedamos?

10.a 1. ◆ Buenos días. ¿El señor Calvo, por favor?
◆ En este momento no se puede poner. ¿Quiere dejarle un mensaje?
◆ Sí, por favor, dígale que ha llamado Ángeles Ruiz, de Comersa.
◆ Muy bien, yo se lo digo.
◆ Gracias.

2. ◆ Restaurante Zarauz, ¿dígame?
◆ Buenos días. Quería reservar una mesa para dos personas.
◆ ¿Para cuándo?
◆ Para el sábado a las nueve y media.
◆ ¿A qué nombre?
◆ Inmaculada Pelayo.
◆ De acuerdo. Queda reservada.
◆ Muchas gracias.

3. ◆ Consulta del doctor Leal. ¿Dígame?
◆ Buenas tardes. Quería pedir hora con el doctor.
◆ ¿El día tres de abril a las cuatro de la tarde le viene bien?
◆ Sí, perfecto. El día tres a las cuatro de la tarde.
◆ ¿Me dice su nombre, por favor?
◆ Sí, Eugenia Carrión.
◆ Muchas gracias.
◆ A usted, buenas tardes.

4. ◆ ¿Dígame?
◆ ¿Está Isabel?
◆ No, se ha equivocado.
◆ ¡Ah! Perdone.
◆ Nada, nada.

5. ◆ ¿Sí?
◆ Hola. ¿Está Begoña, por favor?
◆ No, Begoña no está, ha salido.
◆ ¿Puede decirle que la ha llamado Alberto?
◆ Sí, sí, yo se lo digo.

6. ◆ ¿Diga?
◆ Por favor, ¿está Cristina?
◆ ¿De parte de quién?
◆ De Luis.
◆ Un momento, ahora se pone.
◆ Gracias.

11 1-c; 2-d; 3-a; 4-b.

13.a
1. lunes
2. escritor
3. planta
4. mapa
5. tranquilo
6. cocina
7. sábado
8. libro
9. botella
10. amigo

14.a **Diptongos, triptongos e hiatos**

El **diptongo** es la unión de dos vocales que se pronuncian en una misma sílaba. Hay catorce combinaciones posibles: *ia, ie, io, iu, ua, ue, ui, uo, ai, ei, oi, au, eu, ou*. Por ejemplo, *cau-sa, buen, rui-do, via-je, ciu-dad, trein-ta*.

Cuando tres vocales se pronuncian en la misma sílaba, forman un **triptongo**. Por ejemplo, *cam-biáis*.

El **hiato** se produce cuando hay dos vocales seguidas, pero que se pronuncian en sílabas diferentes. Por ejemplo, *pa-e-lla, a-hí, cre-er, mu-se-o, dí-a, rí-o*.

14.b
1. puer-ta
2. po-e-ta
3. ca-er
4. in-vier-no
5. a-ho-ra
6. cien
7. te-a-tro
8. eu-ro
9. Sui-za
10. re-al
11. ai-re
12. rei-na
13. vein-te
14. es-tu-diáis
15. a-gua

Autoevaluación

1 1-b; 2-a; 3-a; 4-b.

Unidad 9

1.a Positivos: inteligente; sociable; independiente; generoso; responsable; puntual; trabajador; optimista; ordenado.

Negativos: triste; desordenado; impaciente; nervioso; pesimista; tímido; vago; egoísta; antipático.

2.a
1. Mi novio es muy optimista. Es una persona muy divertida y bastante sociable. No es nada tímido.
2. Mi jefe se llama Enrique y es un hombre muy trabajador, muy inteligente, bastante responsable, comunicativo y muy ordenado, pero un poco impaciente.
3. Miguel, mi hijo, es muy creativo, bastante independiente, pero también es algo tímido y un poco nervioso. Y es muy generoso.

3.a Pepe, Merche, Concha, Azucena y Luis.
Sarah, Camilla, Alfredo, Julián y Agustín.

3.b 1-f; 2-a; 3-b; 4-f; 5-d; 6-c; 7-c/e; 8-b.

4.a 1. tiene 2. sé 3. saber 4. tiene; sabe 5. tiene 6. sabes

5.a
1. Sí, claro.
2. Bueno, no pasa nada.
3. Sí, por supuesto.
4. Sí, claro. Aquí tiene.
5. No importa. Muchas gracias. Después de la clase te lo devuelvo.
6. ¿Te ayudo?

6 Las ventanas están abiertas. Por favor, ciérralas.

Los platos y los vasos sucios están encima de la mesa de la cocina. Por favor, lávalos.

El ordenador está encendido. Por favor, apágalo.

El suelo está muy sucio. Por favor, friégalo.

La estantería del salón está muy desordenada. Por favor, ordénala.

La basura está en la cocina. Por favor, sácala.

Las plantas están secas. Por favor, riégalas.

La lavadora está llena de ropa. Ya tiene el jabón. Por favor, ponla en marcha.

7
1. Utilízalo
2. Hazlo
3. bájalo
4. Cógelas
5. Llévatelos
6. Apágala

8

	1	2	3	4	5	6	7	8
(yo)					X			
(tú)	X							
(él, ella, usted)				X				
(nosotros/as)		X						
(vosotros/as)			X				X	
(ellos/as, ustedes)						X		X

9.a 1-a; 2-b; 3-b; 4-a; 5-a; 6-a; 7-a; 8-a.

9.b

PRETÉRITO PERFECTO			
-ar	-er	-ir	con participio irregular
han jugado ha encontrado se ha comprado se ha despertado han invitado	ha perdido he tenido he leído	se han dormido ha venido ha salido se ha reído	ha ido ha visto ha escrito han hecho han puesto

11.a Chus Lago → Ha subido el Everest sin ayuda de oxígeno.

Gabriel García Márquez → Ha ganado el premio Nobel de Literatura.

Alejandro Sanz → Ha vendido más de veinte millones de discos en todo el mundo.

Fernando Alonso → Ha sido campeón mundial de Fórmula 1.

Margarita Salas → Ha publicado más de doscientos trabajos científicos.

Rigoberta Menchú → Ha ganado el premio Nobel de la Paz.

11.b Joaquín Cortés.

12 1. te lo 2. Me lo 3. se las 4. se lo

13.a Enunciativa: n.º 3. Interrogativa: n.º 2.
Exclamativa: n.º 1.

13.b 1-b; 2-b; 3-c; 4-a; 5-a; 6-c.

13.c
1. ¿Sabe cocinar?
2. No tienes sentido del humor.
3. ¡Han suspendido el examen!
4. Es un chico muy tímido.
5. ¡Es muy simpático!
6. ¿Nunca has probado la comida japonesa?
7. ¿Todavía no habéis llamado a Julia?
8. Son muy desordenados.

Autoevaluación

1 1-a; 2-b; 3-b; 4-c.

2 1-i; 2-c; 3-a; 4-g; 5-d; 6-e; 7-f; 8-j; 9-b; 10-h.

Unidad 10

1.a Pablo Neruda ganó el Premio Nobel de Literatura en 1971.

Marie Curie descubrió el radio, el único tratamiento para el cáncer durante mucho tiempo.

Walt Disney creó el personaje de Mickey Mouse en 1928.

Emiliano Zapata participó en la Revolución Mexicana de 1911.

Mary Quant diseñó las primeras minifaldas en los años 60.

Pablo Picasso pintó el *Guernica* en 1937.

Neil Armstrong fue el primer hombre en pisar la Luna: el 20 de julio de 1969.

Salvador Allende murió en 1973, durante el golpe militar de Augusto Pinochet en Chile.

Pedro Almodóvar ganó un Oscar en 2000 por *Todo sobre mi madre* y otro en 2003 por *Hable con ella*.

Agatha Christie escribió muchas novelas policiacas y de intriga.

2
1. Asalto al Congreso de los Diputados durante el intento de golpe de Estado del teniente coronel Tejero, el 23 de febrero de 1981 en España.
2. Soldados portugueses durante la llamada Revolución de los claveles, en 1974.
3. Proclamación de Juan Carlos I como rey de España, en 1975, tras el fin de la dictadura del general Franco y la vuelta de la democracia.
4. Ruinas de Guernica, bombardeada durante la Guerra Civil española.

3.a Verdaderas: 3; 5.
Falsas: 1; 2; 4; 6.

4
1. Terminé de redactar el informe poco antes de la reunión.
2. ¿Cuándo empezaste a trabajar en esta empresa?
3. Mi hija empezó a ir a la piscina a los diez meses.
4. Yo empecé a jugar al tenis a los quince años y seguí jugando hasta los veinticinco.
5. Creo que Vicente volvió a trabajar como profesor cuando terminó de redactar su tesis doctoral.
6. Mis abuelos compraron esta casa cuando se casaron y siguieron viviendo en ella toda su vida.
7. Mi tía tuvo un accidente de coche muy grave y después nunca volvió a conducir.
8. Luis y Brigitte se divorciaron. Los dos volvieron a casarse con otras personas, pero siguieron siendo muy buenos amigos.

5
1. ha acabado de; empezar a
2. empezamos a
3. seguimos
4. Empecé a; sigo
5. volvió a
6. has acabado de; seguir

6
1. a. Pasado; b. Presente
2. a. Pasado; b. Presente
3. a. Presente; b. Pasado
4. a. Pasado; b. Presente
5. a. Presente; b. Pasado
6. a. Presente; b. Pasado

7

	HACER	VENIR	QUERER	ESTAR	PODER	PONER	IR/SER
(yo)	hice	vine	quise	estuve	pude	puse	fui
(tú)	hiciste	viniste	quisiste	estuviste	pudiste	pusiste	fuiste
(él, ella, usted)	hizo	vino	quiso	estuvo	pudo	puso	fue
(nosotros/as)	hicimos	vinimos	quisimos	estuvimos	pudimos	pusimos	fuimos
(vosotros/as)	hicisteis	vinisteis	quisisteis	estuvisteis	pudisteis	pusisteis	fuisteis
(ellos/as, ustedes)	hicieron	vinieron	quisieron	estuvieron	pudieron	pusieron	fueron

8.a 1. ☹ 2. ☺ 3. ☺ 4. ☹

8.b
1. ¿Y qué tal?; fue un viaje horrible
2. ¿Y qué tal?; inolvidable
3. ¿Y qué tal?; Fue una comida estupenda
4. ¿Y qué tal?; regular; no me gustó mucho

10
¿Cuándo fue la primera vez que jugaste con una pelota?
¿Cuál es el gol que más te emocionó marcar?
¿Desde cuándo eres capitán de la selección? ¿Te asusta la responsabilidad del cargo?
¿Qué partido recuerdas especialmente?
¿Cuánto tiempo estuviste sin jugar el año pasado?
¿En qué año debutaste con el primer equipo del Fútbol Club?
¿Cuánto tiempo estuviste jugando en Inglaterra?

11.b
1. <u>Ll</u>ego todos los días al trabajo sobre las ocho./Mi marido lle<u>gó</u> ayer a casa a las nueve de la noche.
2. <u>H</u>ablo un poco de portugués./El otro día Miguel ha<u>bló</u> con su jefe.
3. Ana, mira, te pre<u>s</u>ento a Cati, mi hermana./El sábado, Cristina nos present<u>ó</u> a su novio.
4. Normalmente <u>c</u>eno muy poco: una ensalada y fruta./Ayer mi hija cen<u>ó</u> mucho y luego no durmió bien.
5. A mi madre, siempre le <u>ll</u>evo unas flores./Marisa fue a ver a su tía y le llev<u>ó</u> unas flores.
6. Ahora, trabajo por la mañana y est<u>u</u>dio por la tarde./Hugo estudi<u>ó</u> dos años en Londres.

11.c **Pronunciación del pretérito indefinido**

En los verbos regulares terminados en *-ar*, la forma correspondiente a la tercera persona del singular del pretérito indefinido se escribe igual que la forma de la primera persona del presente de indicativo, pero cambia el acento. En el presente, la sílaba tónica es la penúltima, pero en el pretérito indefinido es la última y se escribe tilde.

12 **Los signos de puntuación**

Se escriben **dos puntos**:
– antes de una enumeración. Ejemplo n.º: 1
– después del saludo, en el encabezamiento de cartas y documentos. Ejemplo n.º: 5

Se escriben **puntos suspensivos**:
– al final de una enumeración abierta (equivale a *etcétera*). Ejemplo n.º: 2

– para indicar que hacemos una pausa con la que expresamos duda, sorpresa, miedo, etc. Ejemplos n.os: 3 y 4

Autoevaluación

1
1. nació
2. Emigró
3. trabajó
4. Cambió
5. a
6. Participó
7. Viajó
8. trasladó
9. siguió
10. acompañaron

2
1-c; 2-c; 3-a; 4-c.

Unidad 11

1
1. Alguien; alguna
2. algo; nada
3. nadie
4. algún; algunos

2
1. No me apetece mucho ir a esa fiesta porque no conozco a nadie.
2. No he estado nunca en Toledo. ¿Es bonita?/Nunca he estado en Toledo. ¿Es bonita?
3. Mi hija está en esa edad difícil en la que piensa que nadie la comprende.
4. No entiendo nada: he hecho un trabajo estupendo y mi jefe me ha pedido que lo repita.
5. No veo. ¿Puedes dar la luz, por favor?/No veo nada. ¿Puedes dar la luz, por favor?
6. Nunca voy al teatro, pero este fin de semana voy a ver una obra que me han recomendado.

4
Estudiaba; compartía; Íbamos; estudiábamos; Hacíamos; limpiábamos; nos divertíamos; visitaban; encantaba.

5.a
Era verano. Estaba contento. Iba a la playa. Había parejas enamoradas paseando por la orilla. Los niños jugaban en la arena. La gente tomaba el sol. Hacía muy buen tiempo. Era un día precioso.

6.a
gustaba; tenía; viví; Me crié; era; se desarrollaba; pensaba; veía; oía; estaban; trabajaban; pasaban; representaban; me alejé; eran; escuchaba; cosían; oía; lavaban; tendían; era.

6.b
1. Positiva, porque tenían una gran capacidad de lucha y eran muy activas.
2. Negativa, porque nunca estaban en casa y representaban la autoridad.
3. La infancia, la muerte y el mundo femenino.

6.c
Mi infancia. Los primeros años de mi vida.

7.a
Orden de los dibujos: 2, 3, 1.

7.b
En la primera época: vestía siempre de negro, tocaba la guitarra, cantaba en inglés y llevaba el pelo largo.
En la segunda, llevaba ropa de colores, el pelo corto, cantaba en español y hacía música con letras divertidas.
Actualmente, viste de negro.

9.a
Verdaderas: 1; 2; 5.

9.b
1. Laura no está contenta con su relación, **así que** piensa que se va a separar de su marido.
2. Felipe no está tanto en casa como antes **porque** trabaja mucho y piensa demasiado en el trabajo.
3. Los niños han crecido, **por eso** necesitan más atención que antes.

11.b
1. Él hizo la reserva y yo recogí las entradas.
2. ¿Qué quieres que te regale para tu cumpleaños?
3. Tu casa es mucho mayor que la mía.
4. No sé dónde he puesto las llaves. ¿Las has visto tú?
5. Si vas a ir en coche, dímelo, que me voy contigo.
6. Sí, Juan tiene razón. Estoy completamente de acuerdo con él.

Autoevaluación

1
Se equivocó; se equivocaba; fue; Creyó; era; Se equivocaba; se durmió.

2
era; eran; viajábamos; teníamos; nos divertíamos; teníamos.

3
1-a; 2-b; 3-c; 4-a.

Unidad 12

1.a
requiere; Conocimientos; Disponibilidad; ofrece; indefinido; Formación; Sueldo; Interesados.

1.b
1-h; 2-e; 3-b; 4-g; 5-a; 6-c; 7-f; 8-d.

2.a
oferta; currículum; licenciada; negocios; he realizado; administración; ustedes; estudios; experiencia; entrevista.

2.b
1-a; 2-a; 3-a.

2.c
1. trabajé
2. viajé
3. tuve
4. eran
5. Has hecho
6. Tienes

3.a
Crear la dirección de correo electrónico. Ser puntual. Visitar a los principales clientes. Conocer todos los departamentos de la empresa. Estar tranquila.

4.a
1. amablemente
2. cuidadosamente
3. correctamente
4. lentamente
5. rápidamente
6. atentamente
7. tranquilamente
8. frecuentemente

7
Lo tengo aquí; las está haciendo en este momento; Voy a imprimirla enseguida; dásela; lo tenemos todo preparado; se lo he dicho esta mañana; va a traérnoslo; tranquilízate.

8
1. Escríbesela.
2. Dámelo.
3. Cuéntaselo.
4. Voy a ponérmela.
5. Apágala.
6. No las he visto.
7. Voy a enseñársela.
8. Recógelos.

9.b
1. Ana
2. mamá
3. mano
4. lona
5. reno
6. caña
7. nulo
8. mido
9. rama
10. peña

9.c
1. ambiente
2. invitar
3. inseguro
4. antiguo
5. impresión
6. imperfecto
7. imposible
8. incierto
9. intenso
10. limpiar
11. sombra
12. ambulancia

10
1. in-no-va-ción
2. i-rre-pe-ti-ble
3. ac-ción
4. ins-truc-ción
5. a-rri-ba
6. lla-ve
7. lle-no
8. hie-rro

Autoevaluación

1
Verdaderas: 2; 4; 5; 6; 7.
Falsas: 1; 3; 8.